Reiner Kunze
Wo Freiheit ist ...

Gespräche 1977 – 1993

S. Fischer

© 1994 S. Fischer Verlag GmbH,
Frankfurt am Main
Umschlaggestaltung: Raphie Etgar
unter Verwendung der Umschlagabbildung:
Fritz König, *Ohne Titel*. Papierschnitt 1991
Satz: Photosatz Reinhard Amann, Aichstetten
Druck & Bindung: Friedrich Pustet, Regensburg
Printed in Germany 1994
ISBN 3-10-042015-2

Wo Freiheit ist, muß, wer öffentlich auftritt, sich auch öffentlich behandeln und verhandeln und mitunter auch mißhandeln lassen. Diese Stärke des Gemütes, diese Tugend muß er haben. Mag er das nicht, so setze er sich in der Werkstatt hin und nähe Schuhe und Röcke.

Ernst Moritz Arndt

Inhalt

18. April 1977

Deutsches Fernsehen / ARD
Report München

*Moderation
und Fragen:
Klaus Stephan*

Eine fertige Weltanschauung verträgt keine Dichtung.
Robert Musil

Sie sind am Mittwoch von der DDR in die Bundesrepublik Deutschland übergesiedelt. Was sind die Gründe, daß Sie und Ihre Familie die DDR verlassen haben?

Der erste Grund ist mein Gesundheitszustand. Mir hat kein Arzt in der DDR geraten, die DDR zu verlassen, aber die Ärzte haben mich wissen lassen, daß sie ratlos sind, wenn ich mich weiterhin in die Situationen begebe, in denen ich in den letzten Wochen, Monaten und Jahren, im letzten Jahrzehnt wiederholt gestanden habe. Einer sagte, wir können Sie nicht alle sechs Wochen an den Tropf hängen, und ich habe in der letzten Zeit immer häufiger am Tropf hängen müssen. Dies wäre der erste Grund, weshalb ich weggehen mußte, denn als Schriftsteller kann ich nicht gegen mein Gewissen schreiben und habe deshalb keine Wahl, ob ich mich diesen Situationen aussetze oder nicht. Der zweite Grund: Ich hatte 1974 ein Gespräch auf höchster staatlicher Ebene. Nachdem in diesem Gespräch weder Lob noch der Versuch der Bestechung, noch die Beschimpfungen als Hysteriker oder pathologischer Fall gefruchtet hatten – man wollte etwas von mir, das ich nicht tun konnte –, sagte mir mein Gesprächspartner: Dann kann ich Ihnen auch nicht mehr helfen, was dann auf Sie zukommt, das überleben Sie nicht ... Und diese Drohungen haben in der letzten Zeit in einer Weise zugenommen, daß wir nicht mehr abschätzen konnten, wie weit Wort und Tat voneinander entfernt sind. Bereits der kleinste Funktionär sah sich berufen, in diesen Tönen zu sprechen. Ein Beispiel: Der Verantwortliche für das kulturelle Leben im Kreis Greiz, ein Herr Herzog, sagte bei der Eröffnung der Ausstellung mit Werken eines jungen Graphikers: Das sieht ja aus wie Illustrationen zu Kunze. Da geht einem ja das Messer auf in der Hosentasche. – Und ein Funktionär, der sich öffentlich zu mir bekannt hatte – das gibt es auch –, wurde zur Staatssicherheit gebeten, und ihm wurde gesagt: Dieser Mann – also ich – hängt nur noch an einem seidenen Faden, und wann und wie wir den kappen, das ist nur noch eine Frage des Zeitpunkts und der Umstände. Wir empfehlen dir dringend, dich nicht mit an diesen Faden zu hängen. – Nun könnten, gestatten Sie, daß ich das hinzufüge, einige dieser Herren meinen, jetzt haben wir dem Kunze genügend Angst gemacht, nun ist er gegangen. So ist das nicht. Im Gegenteil. Es ist anders. Ich möchte meine Frau nicht unbedingt überleben, und meine Frau, die selbst Ärztin ist, hat unter diesen Umständen unsäglich gelitten. Sie hat Angst um mich gehabt, Jahre, und sie wäre kaputtgegangen. Ich habe aber nichts Kostbareres auf dieser Erde als meine Frau, und deshalb haben wir die DDR verlassen.

Herr Kunze, nach dem, was Sie erzählt haben, muß man die Frage stellen, warum Sie nicht früher gegangen sind, was man wahrscheinlich damit beantworten kann, weil es Ihnen schwergefallen ist. Aber es ist eine Antwort, die Sie geben müssen. Ist es Ihnen schwergefallen zu gehen?

Es ist uns unendlich leid um die vielen guten, gütigen Menschen, die wir zurücklassen mußten. An unsere Eltern in ihrem hohen Alter und an unsere Freunde dürfen wir gar nicht denken; wobei wir fortwährend an sie denken. Um alles andere ist es uns nicht leid. Von dort, und damit meine ich nicht die Himmelsrichtung, den Osten, und damit meine ich auch nicht das Staatsgebiet der DDR, und damit meine ich auch nicht die Gebiete der anderen Staaten dieser Hemisphäre, sondern ich meine das dort real existierende, jetzt dort real existierende gesellschaftliche System, von daher kommt kein neuer Anfang für die Menschheit, von daher nicht.

Herr Kunze, es ist anzunehmen, daß mehr Menschen in der geistigen Situation in der DDR leben und wahrscheinlich auch leiden, in der Sie sich befunden haben. Was sagen Sie diesen Menschen?

Ich kann ihnen nur sagen, wie wir dort gelebt haben: Die Erde ist überall schön. Man muß einander Zeichen geben, wer zu wem gehört, und man muß einander helfen, im richtigen Augenblick Kompromisse zu schließen, nämlich dann, wenn sie notwendig sind, um die menschliche Substanz zu bewahren, und Kompromisse nicht zu schließen, wo sie an die Substanz gehen, und man muß einander helfen, den Geist hochzuhalten, versuchen, Einblicke zu gewinnen in die Dinge, die sich im geistigen Leben in der Welt abspielen. Wir sind so reich an Wundern, die uns die Menschen, die vor uns lebten, hinterlassen haben – in der Musik zum Beispiel und in der Malerei, und auch an Wundern der Natur. Man muß einander helfen, die Augen zu öffnen und von diesen Wundern zu sehen, was die Wimper hält.

Das hört sich an, als hätten Sie dort nicht in der Realität gelebt, aber die Realität hat doch zumindest in dem Augenblick für Sie begonnen, als Sie nach dem Einmarsch der Truppen des Warschauer Paktes in die Tschechoslowakei aus der SED ausgetreten sind.

Es hat wesentlich früher begonnen, 1959, als ich von der Universität weggegangen bin, ... nachdem ich begriffen hatte, daß es nur darum geht, das Prinzip durchzusetzen, sei es auch über den Menschen hinweg ... Es geht nicht um den Menschen, es geht um das Prinzip, und das Prinzip heißt: die Macht.

Herr Kunze, wie wird es jetzt mit Ihnen weitergehen? Sind Sie Emigrant, obwohl Sie innerhalb der eigenen Sprache geblieben sind?

Nein, ich fühle mich nicht als Emigrant. Wir werden das erst einmal ganz schnell praktisch zu realisieren versuchen, daß wir gar nicht das Gefühl bekommen, hier in der Fremde zu sein. Wir sind erstens schon von Freunden aufgenommen worden. Wir werden schnell versuchen, für meine Frau einen

Arbeitsplatz zu finden und eine Wohnung für uns. Dann, wenn es geht, ich weiß nicht, ob wir uns das finanziell leisten können, vier Wochen gesünder werden, und dann wird es lange Zeit still um mich werden. Mir ist oft schon gesagt worden, du mußt, was weiß ich, alle zwei Jahre ein Buch bringen, damit du am Fenster bleibst. Ich habe mich nie darauf eingelassen. Es kommt für einen Schriftsteller nicht darauf an, am Fenster zu stehen, sondern Bücher zu schreiben, und meine Freunde in der DDR sollen sich dadurch nicht irritieren lassen, wenn es still wird um mich. Eine Zeitung schrieb gestern: Kunze hat resigniert. – Nein, wir haben diesen Anfang noch einmal gewagt, eben um nicht resignieren zu müssen.

16. Oktober 1979

Deutsches Fernsehen
ARD
Report Baden-Baden

Moderation:
Franz Alt
Fragen:
Hannelore Gadatsch

Denn es gehört zu den geheimnisvollen Gesetzen des Lebens, daß wir seiner wahren und wesentlichen Werte immer erst zu spät gewahr werden: der Jugend, wenn sie entschwindet, der Gesundheit, sobald sie uns verläßt, und der Freiheit, dieser kostbarsten Essenz unserer Seele, erst im Augenblick, da sie uns genommen werden soll oder schon genommen worden ist.

Stefan Zweig

*Dieser Mann, der beide deutsche Staaten kennt, ist er
hier heimisch geworden, hat er bei uns eine Heimat gefunden?*

Wir fühlen uns hier wieder zu Haus ... Heimat ist für mich
zuerst einmal dort, wo meine Frau ist, und wo ich Menschen
finde, die ich schätze und gern habe. Dazu kommt, wenn Sie
zwanzig oder fünfzehn Jahre unter psychischen Bedingungen
gelebt haben wie wir, unter solchem Druck, mit solchen Äng-
sten, mit solchen Sorgen, existentiellen Sorgen, dann wird Ihnen auch ein Landstrich, den Sie erst seit zwei Jahren bewoh-
nen, wieder zur Heimat, wenn Sie hier aufatmen, wenn Sie
hier durchatmen können.

Ist es Ihr Vaterland?

Mein Vaterland ist Deutschland.

*... Was waren für Sie wichtige Erfahrungen im Erleben
der Bundesrepublik?*

Am Montag war ich in München in einer Buchhandlung. Eine
der jungen Buchhändlerinnen fragt mich: »Na, wo gefällt's
Ihnen denn jetzt besser, drüben oder hier?« Was will man auf
eine so globale Frage antworten? Ich sagte: »Na, hier.« Sie
nimmt es als selbstverständlich, daß ich das ironisch meine,
denn sie antwortet: »Das wollte ich auch meinen, daß es Ihnen
drüben besser gefallen hat als hier.« Und damit komme ich zu
einem für mich ganz wichtigen Eindruck, den ich hier gewonnen habe: Sie wissen nicht, was sie haben. Sie wissen nicht,
was sie an grundlegenden Freiheiten haben und an geistigen
Möglichkeiten, die sich aus diesen Freiheiten ergeben. Es geht
mir gar nicht um die materiellen Möglichkeiten – oder um sie
nur insofern, als sie Möglichkeiten für den Geist schaffen. Was
mich sehr, was mich wirklich bedrückt, ist die Anmaßung. Sie
urteilen, ohne zu kennen. Sie kennen das Leben in der DDR,
in der Tschechoslowakei, im Osten nicht. Ich kann es ihnen

auch nicht verdenken, daß sie es nicht kennen. Das Leben in der DDR kann nur einer kennen, der dort gelebt hat, der es gelebt hat als DDR-Bürger auf Lebenszeit, der dort die Kinder in die Schule geschickt hat, der in all diesen Konflikten gestanden hat, die man als Besucher nicht sieht. Aber wenn ich dieses Leben nicht kenne, dann muß ich zumindest schweigen. Und sie urteilen, ohne sich zu informieren.

Wo sehen Sie bei uns Gefahren?

… Ich habe einmal ein Gedicht geschrieben, das ist 1970, glaube ich, hier veröffentlicht worden, und es betrifft mein Erleben drüben. Dieses Gedicht endet mit den Zeilen: »Für die Sicherung der Macht auch ewige Finsternis.« Ohne davon etwas zurückzunehmen, würde ich das hier so formulieren: »Für die Sicherung des Geldes auch ewige Finsternis.« Es wird so viel getan, um den finanziellen Gewinn zu sichern, koste es im Menschen, *im* Menschen, was es wolle. Das heißt nicht – damit Sie mich nicht mißverstehen –, daß ich gegen die Marktwirtschaft bin, ganz im Gegenteil. Aber ich bin für Verantwortung dem Menschen gegenüber.

… Günter Grass, Herr Kunze, hat vor wenigen Tagen gesagt, die nach dem Zweiten Weltkrieg in beiden Staaten wiedererstandene Literatur sei mit das letzte Gesamtdeutsche, was wir haben. Die Politiker wüßten allerdings sehr wenig damit anzufangen, und das gilt für Politiker in beiden Staaten. Würden Sie das unterstreichen?

Da kann ich ihm nur beipflichten. Ich würde vielleicht noch hinzusetzen, daß zum Gemeinsamen, das wir haben, auch die Sprache gehört, die wir auf der Straße sprechen. Denn auch in der Umgangssprache – jetzt abgesehen von den Dialekten und Jargons, die gesprochen werden –, in der Umgangssprache bleibt ebenfalls unzerstörbar, was an Mentalität, an geistiger Kultur und Tradition in einem Volk gewachsen ist.

*Es gibt also noch eine gemeinsame Sprache in beiden
Staaten. Ist das nicht eine Hoffnung für uns, besonders
wenn man an die Umfrageergebnisse denkt, wonach
immer weniger Bundesbürger und besonders junge
Leute über die Realitäten in der DDR Bescheid wissen?*

Ja, das ist bestimmt eine große Hoffnung. Das ist überhaupt *die* Hoffnung ... Die Sprache ist die Brücke.

27. Oktober 1981

Westdeutscher Rundfunk
Mosaik 2

Fragen:
Jürgen P. Wallmann

... geben sie mir das beste Clavier von Europa, und aber leüt zu zuhörer die nichts verstehen, oder die nichts verstehen wollen, und die mit mir nicht Empfinden was ich spielle, so werde ich alle freüde verlieren.

Wolfgang Amadeus Mozart

*Herr Kunze, mehr als vier Jahre nach Ihrer Übersied-
lung aus der DDR in den Westen ist kürzlich Ihre erste
hier entstandene Buchpublikation herausgekommen,
der Gedichtband* auf eigene hoffnung. *Er erscheint fünf
Jahre nach Ihrem Prosabuch* Die wunderbaren Jahre
und neun Jahre nach dem Lyrikband zimmerlautstärke.
*Hier im Westen treffen Sie auf ein anderes Publikum mit
anderen Leseerwartungen als in der DDR. Hat das Ihr
Schreiben beeinflußt – oder denken Sie beim Schreiben
nicht an die Leser?*

Jeder Leser hat seine eigenen Erwartungen. An welchen Leser
sollte ich mich halten? Abgesehen davon, daß ich nur die wenigsten kenne. Ein Autor denkt an die Leser, indem er an sein
Buch denkt. Das Buch sucht sich dann seine Leser – hier wie
dort, hier und dort.

*Mir scheint eine Kontinuität erkennbar zu sein, die Ihre
neuen Gedichte mit dem früheren Werk verbindet, for-
mal und thematisch. Hätten Sie diese neuen Gedichte
auch in der DDR schreiben können?*

Nein. Einer, der durchatmet, erlebt die Welt anders als einer,
den man würgt. Außerdem habe ich hier Erlebnisse, die ich in
der DDR nicht hätte haben können. Wenn Sie Kontinuität
feststellen, ist das kein Widerspruch. Der Autor ist derselbe.

*Ein Kapitel Ihres neuen Gedichtbuches hat als Motto
ein Wort des Erasmus von Rotterdam: » Von niemandem
vereinnahmbar.« Welche Gefahren der Vereinnahmung
sehen Sie, drüben und hier? Denken Sie an die Politik,
an den Literaturbetrieb?*

Versuche, jemanden zu vereinnahmen, gibt es in allen Lebens-
bereichen. Die Gefahren liegen zum einen in den Verlockun-
gen, also in den Möglichkeiten, die einem geboten werden,
wenn man bereit ist, sich vereinnahmen zu lassen, und sie
liegen zum anderen in der Angst vor den Folgen, wenn man

sich widersetzt. Die Art der Folgen ist in der DDR gewiß anders als hier. Dort sind die Vereinnahmer an der Macht, hier haben sie nur Macht. Aber es genügt publizistische Macht, um das Leben eines Menschen zu zerstören.

Dem neuen Buch ist das Wort von Gottfried Benn über die Resignation vorangestellt. Können Sie das erläutern? Steht Resignation nicht im Widerspruch zu dem Wort »Hoffnung« im Titel des Buches?

Die Hoffnung bezieht sich auf einzelne Menschen, die Resignation auf die Menschheit.

Was sagen Sie denen, die aus Ihren neueren Arbeiten einen Rückzug aus der Welt, einen Eskapismus meinen herauslesen zu können?

Nichts. Sie müssen selbst darauf kommen, daß sie einer Täuschung unterliegen, und dazu bedürfen sie bestimmter Erfahrungen. Entweder sie machen sie eines Tages, oder sie machen sie nicht.

Aus einigen Gedichten klingt, so scheint es mir, die Sorge darüber heraus, daß die westlichen Demokratien gefährdet sind. Vor welchen Gefahren wollen Sie warnen?

Am 15. Februar 1981 sagte der Vorsitzende des Staatsrates der DDR, Erich Honecker, an dem Tag, an dem die Werktätigen der Bundesrepublik an die sozialistische Umgestaltung der Bundesrepublik Deutschland gehen würden, werde sich die Frage der Wiedervereinigung völlig neu stellen. Daran, wie man sich dann entscheiden würde, bestehe kein Zweifel ... Anders gesagt: Man würde bei der sozialistischen Umgestaltung der Bundesrepublik deren Werktätige nicht allein lassen. Davor möchte ich warnen; denn daran, was dann kommt, besteht ebenfalls kein Zweifel. Avraham Shifrin, ehemaliger sowjetischer Staatsanwalt, zum Tode verurteilt, zu fünfundzwanzig Jahren begnadigt und jetzt in Israel lebend, veröffentlichte vor kurzem eine Dokumentation über zweitausend sowjetische Lager, Gefängnisse und psychiatrische Kliniken mit politischen Gefangenen. Shifrin sieht diese Lager für die Westeuropäer immer näher kommen. In den sowjetischen Botschaften, schreibt er, lägen Listen von Intellektuellen, die im Falle der Machtergreifung in dem betreffenden Land zu liquidieren seien.

Sind Sie ein politischer Dichter?

Ich stelle mich dem Politischen dort, wo es mich als Autor stellt, wo es ins Existentielle hineinreicht. Aber ich bin kein politischer Autor, kein Autor, der schreibt, um Politik zu machen.

Sie haben gelegentlich für Kinder geschrieben, Ihr Kinderbuch Der Löwe Leopold *(1970) etwa fand großen Zuspruch und wurde mit dem Deutschen Jugendbuchpreis ausgezeichnet: Und in einigen Monaten erscheint unter dem Titel* Eine stadtbekannte Geschichte *ein neues Buch für Kinder. Was ist Ihr Motiv, warum schreiben Sie für Kinder?*

Weil mir Kindergeschichten einfallen, und weil Kinder nach Geschichten hungern. Hinzu kommt, daß für Kinder zu schreiben heißt, sie fröhlich zu machen und dabei auf die Tragik vorbereiten zu helfen, die das Leben für jeden bereithält.

Wie empfinden Sie die bisweilen gereizt klingende Kritik, die an Ihrem neuen Buch geübt wurde? Sehen Sie darin eine sachliche Auseinandersetzung, oder sind da, nach Ihrer Meinung, auch gelegentlich außerliterarische Dinge mit im Spiel?

Sich über die Motive bestimmter Kritiker zu unterhalten ist müßig. Außerdem: Ebensowenig, wie die Kritiker das letzte Wort haben werden, steht es dem Autor zu. Das letzte Wort hat noch immer die Zeit.

23. April 1983

Hessischer Rundfunk
Der Dialog

Das Gespräch führte
Karl Corino

... noch weniger scheue ich den »Beifall auf der falschen Seite«, denn die Wahrheit ist nicht taktisch und nicht funktionell. Daß auch der Gegner sie ausspricht, entwertet sie in keiner Weise; somit gibt es keine falsche Seite. Wer denkt oder schreibt, als ob die Gegner immer und in allem unrecht haben müßten, verteufelt die Welt und mißhandelt die Wahrheit.

Manès Sperber

... Die offizielle DDR hat in Gestalt des Schriftsteller-
verbandsvorsitzenden Hermann Kant oder auch in der
Gestalt eines Rolf Schneider einen energischen und nicht
ungeschickten publizistischen Feldzug gegen Sie geführt,
etwa nach dem Motto: Der Kunze ist in das Lager der
Reaktion abgewandert. Lesen Sie unter diesen Auspizien
eigentlich noch die offiziöse DDR-Literatur, die Bücher
der Kants und Görlichs, Neutschs und wie sie alle heißen
mögen? Und wie steht es umgekehrt mit den Büchern
von Christa Wolf, Franz Fühmann, Adolf Endler, Elke
Erb, Rainer Kirsch, Karl Mickel, Heinz Czechowski,
Wulf Kirsten und wen man da noch nennen mag?

Was den Vorwurf des Übergehens zur Reaktion betrifft, so
kann ich nur auf meine Bücher verweisen, die hier entstanden
sind und entstehen. Und die Menschen in der DDR, die diese
Bücher nicht haben, muß ich auf Herrn Kant verweisen, den
sie haben. Was die Bücher angeht, die in der DDR geschrieben
werden – von Schopenhauer gibt es das Wort: »Vom Schlech-
ten kann man nie zu wenig und das Gute nie zu oft lesen.« Ich
habe die offiziöse Literatur in den letzten Jahren meines
DDR-Daseins nicht gelesen und lese sie auch hier nicht. Und
die gute Literatur lese ich mit größter Neugier und Anteil-
nahme. Ich habe als letztes soeben Christa Wolfs *Kassandra*
gelesen. Wenn ich etwas von Franz Fühmann oder Wulf Kirsten lesen kann, greife ich sofort danach. Und es findet in diesen Büchern ja auch noch immer ein Dialog statt. Ich weiß
nicht, ob Sie das Gedicht *An Freund und Feind* von Czechowski kennen. Es steht in seinem Reclam-Band, der 1982 in
Leipzig erschienen ist:

Wie wir das lesen ist unsere Sache:
Jeder gegen jeden, noch immer?
Und der gegen die symmetrische Welt?

Die Wahrheit? Ja! – Doch nicht die ganze.
Sicher: Hier läutet nicht nur die Galle,
Hier wird die Trommel kaum noch gerührt.
Sandkorn um Sandkorn rieselt die Eisenzeit
Ein in das Unsre und in die Welt
Der Schafe und Sterne.
Wir sagen uns Zaubersprüche,
Wir schreiben uns Briefe mit blauen Siegeln –
Wer aber soll das rezensieren?
Wo wir auch hinsehn:
Die goldenen Stühle
Längst schon besetzt
Von Kopien nach Originalen.

Da wird fast ein halbes Dutzend Schriftsteller genannt, Volker Braun, Adolf Endler, Sarah Kirsch, Johannes Bobrowski, unter anderem auch Sie. Zitat: »Am sanften seil des quells / läutet die galle.« Da werden Sie also ausdrücklich apostrophiert. Beweis dafür, daß da in der Tat noch ein Dialog über die Grenze hinweg stattfindet. Das bringt mich zur nächsten Frage. Wie steht es mit der Verbindung zwischen den Autoren, die seit 1976 so wie Sie in den Westen gekommen sind und nun auf Dauer oder auf kurze Zeit hier leben, sagen wir Wolf Biermann, Günter Kunert, Sarah Kirsch?

Ich kann nur etwas dazu sagen, welche Verbindung zwischen mir und diesen Kollegen besteht. Sie ist nicht enger, als sie es in der DDR war, aber auch nicht weniger kollegial. Das aber ist auf die Mentalität von meiner Frau und mir zurückzuführen. Wir haben immer – wenn Sie so wollen – im Wald gelebt, und wir leben hier wieder im Wald. So ist schon die räumliche Entfernung ein Grund dafür, daß wir nicht häufiger Kontakt zu den Kollegen haben. Außerdem suchen wir uns unsere

Freunde nicht nach dem Beruf aus. Wenn Biermann und ich einander treffen, freuen wir uns – ich glaube – beide.

> *... Sie haben mir einmal erzählt, daß Sie, als Sie noch in der DDR lebten, Teile des Gedichts* Tagebuchblatt 74, *das ein lyrischer Protest gegen die erzwungene Versöhnung mit dem Kollektiv ist, geträumt haben ... Symptom dafür, wie damals Ihr Unterbewußtes, der, sagen wir, sublimale Schaffensgrund, die existentielle Bedrohung in Bilder umsetzte. Gibt es ähnliche Geschenke des Unbewußten auch hier schon in der Bundesrepublik?*

Ja.

> *... Sie haben das Gedicht* Tagebuchblatt 74 *zu einem Teil zwar geträumt, aber Sie haben es im Wachsein vollendet. Es ist auch in der Form natürlich eine Kombination von emotionalen und rationalen Elementen. Das, was dominiert, kann von Gedicht zu Gedicht wechseln, aber ohne eine bestimmte emotionale Beteiligung ist Lyrik wahrscheinlich nur in sehr seltenen Fällen möglich, und gerade die emotionalen Momente sprechen vermutlich auch wieder zu emotionalen Persönlichkeitsschichten im Leser oder Hörer. Ist es dann nicht gerade die Emotion, die es verbietet, daß die Poesie sich in Dienst nehmen läßt? Und auch hier in der Bundesrepublik gibt es ja offensichtlich Leute, die erwarten, daß sich die Poesie sozusagen mit umgekehrten Vorzeichen in Dienst nehmen läßt.*

Es entsteht garantiert kein Gedicht, wenn Sie sich nur wünschen, ein Gedicht zu schreiben. Es entsteht auch kein Gedicht, wenn Sie Erlebnisse suchen, um ein Gedicht zu schreiben. Der poetische Einfall, die Verknüpfung von Wirklichkeiten, die Sie bis dahin nie miteinander verknüpft gesehen haben, muß von selbst kommen. Insofern würde ich überhaupt nicht unterscheiden zwischen Emotionalem und Rationalem, sondern zwischen Unbewußtem und Bewußtem. Ihre Erlebnisse müssen so stark sein, und Sie müssen so viel erlebt haben, und Sie müssen mit diesen Erlebnissen über lange Zeit sich auseinandersetzen und nicht anders mit ihnen fertig werden als eines Tages literarisch; und das Signal für den Beginn eines solchen Prozesses ist immer der poetische Einfall. Beispiel: Wir hatten tiefe Eindrücke in Norwegen. Ich kann jetzt nicht, weil es ja auch eine Frage der Zeit ist, viele dieser Erlebnisse schildern.

Es gibt ja Gedichte wie auf die Stabkirche zu Lom oder die Schneestangen ...

Auf das Schneestangen-Gedicht will ich hinaus. Wir waren in Jotunheimen, einem Hochgebirge, wo schon bei sechzehnhundert Metern die Gletscher liegen, und wir waren von bestimmten Reaktionen, von der Introvertiertheit, auch von der scheinbaren Ablehnung vieler Menschen dort betroffen. Nach und nach haben wir aber zu ahnen begonnen, was es heißt, in einer solchen Natur, in solcher Abgeschiedenheit, in solcher Vereinzelung Mensch zu sein. Auf dem Rückweg fuhren wir die Hochgebirgsstraße von Kinsvarik nach Oslo – ich weiß jetzt nicht, wie weit das ist, sagen wir zweihundert Kilometer –, und es war Mitte September. Auf dieser Hochgebirgsstraße, die größtenteils ein Schotter- und Steinweg ist und durch eine Landschaft führt, die nackt und kalt ist – Geröll mit tiefen Schluchten und eisigen Seen –, auf dieser Hochgebirgsstraße waren bereits die Schneestangen aufgestellt. Am Himmel, der tiefblau war, schossen die Wolken dahin, und man roch den Schnee schon in den Wolken. In dieser riesigen Einsamkeit begleiteten uns also plötzlich die von Menschen aufgestellten Schneestangen, und wir sahen sie ständig aus einer anderen Perspektive, denn wir fuhren steil bergab und bergauf, und der Weg hatte viele Kurven. Die Schneestangen waren das einzig »Menschliche« dort … Da kam mir während der Fahrt folgende Zeile, folgender Vers, an den ich vorher nie im Leben gedacht hatte: bezogen also auf die Schneestangen –: »Als wollten sie den schnee auffangen / ohne arme.« Ein größeres Ausgesetztsein kann ich mir nicht vorstellen, eine größere Hilflosigkeit, eine größere Ohnmacht, als daß jemand ohne Arme etwas auffangen will, auffangen soll … Die Verknüpfung von Arm und Schneestange hatte ich bis dahin noch nie gedacht, noch nie gesehen. Ich bin dann entgegen meiner Gewohnheit und zur Überraschung meiner Frau hinausgefahren, habe eine Pause gemacht und mir diesen Vers aufgeschrieben, ohne ihn meiner Frau zu sagen; denn sie ist die erste Leserin, die erste Hörerin eines fertigen Textes und hätte dann die nötige Distanz nicht mehr gehabt, wenn sie den Urpunkt dieses Gedichtes vorzeitig erfahren hätte. Mit diesem Bild war für mich das Signal gegeben, hier könntest du mit einer Seite deines Norwegen-Erlebnisses fertig werden. Das Bild, der poetische Einfall, muß von selbst kommen, den kann man nicht »herbeiwollen«. Ich weiß nicht, nach wieviel Wochen ich begonnen habe, das Gedicht zu schreiben.

Längst nach Ihrer Rückkehr.

Nach meiner Rückkehr; und dann beginnt natürlich die Arbeit, dann beginnt die Ratio, ihr Teil hinzuzutun. Ich will nur ein einziges Element dieser Arbeit noch schildern: Ich mußte, um das Erlebnis zu fixieren, ins Bild einbringen, wo diese Schneestangen stehen. Es ist ein riesiges Gebirgsmassiv, es ist Gestein, eine große Öde, eine Einöde, es ist eine Einsamkeit, die einen auf sich selbst zurückwirft – das alles hätte ich sagen müssen. Aber das alles hat mit Dichtung nichts zu tun. Es wäre Beschreibung gewesen. Ich weiß nicht, wie lange ich gebraucht habe, bis ich auf ein neues Wort gekommen bin, und dieses Wort ist nun »herbeigearbeitet«: eine große Einsamkeit, eine Einöde von Steinen, eine steinerne Einöde, eine

– »Steinöde«. Und mit diesem Wort hatte ich den Gedicht-
anfang, die ersten beiden Zeilen – wieder bezogen auf die
Schneestangen: »In dieser steinöde werden sie / zu wesen.«

LEERE SCHNEESTANGEN, NORWEGEN,
MITTE SEPTEMBER

In dieser steinöde werden sie
zu wesen

Als wollten sie den schnee auffangen
ohne arme

Und jede ganz auf sich gestellt
gegen die übermacht des himmels

*Die Schilderung dieses Produktionsprozesses macht es
einleuchtend genug, daß politische Kommandos von außen eigentlich nur tote Versgeburten hervorbringen können. Sie haben sich ja nicht unbedacht ein Motto von
Erasmus von Rotterdam gewählt, nämlich »nulli con-
cedo«, was Sie übersetzen mit »von niemandem vereinnahmbar«. Damit hängt es wohl auch zusammen, daß
Sie zu keinem der deutsch-deutschen oder internationalen Friedensgespräche eingeladen werden. Die Crux
dieser Friedensgespräche besteht meines Erachtens
darin, daß Kontroversen nicht selten von vornherein
ausgeklammert werden, daß bevorzugte Parteigänger
eingeladen werden, die sich schon von vornherein einig
sind. Unter welchen Voraussetzungen würden denn Sie,
Herr Kunze, an einem Friedensgespräch teilnehmen, in
deutsch-deutschem oder in anderem Rahmen, und was
können Schriftsteller überhaupt für den Frieden tun?*
Ich würde unter der Voraussetzung teilnehmen, daß ich überzeugt wäre, dort etwas Wichtiges zu sagen zu haben. Ich

glaube aber nicht daran, daß ich als Schriftsteller auf solchen Tagungen den Frieden auch nur um ein Geringes sicherer machen kann. Schriftsteller können den Frieden weniger dadurch sicherer machen, daß sie über ihn reden, als dadurch, daß sie mittels ihrer Bücher – und dann spielt es keine Rolle, wovon das Buch handelt – Menschen sensibilisieren, damit wir alle behutsamer miteinander umgehen. Wenn manche meiner Kollegen meinen, solche Tagungen seien von Belang, und wenn sie wirklich auf diesen Tagungen etwas für den Friedensgedanken leisten, dann kann ich ihnen für ihr Engagement und für die Opfer, die sie dafür bringen, nur danken. Aber sie sollten auch vorleben, wie man behutsamer miteinander umgeht. Das – so scheint mir – können einige jedoch überhaupt nicht. Mancher Heiligenschein kommt mir eher vor wie ein Scheinheiligenschein. Die Diskrepanz zwischen Friedensliebe und Friedfertigkeit macht mich skeptisch … Wenn ich zu einer solchen Tagung eingeladen werden würde, würde ich wahrscheinlich stumm in der Ecke sitzen.

Herr Kunze, als Gegenbild zu der von Konflikten zerrissenen menschlichen Welt dient Ihnen nicht selten die Natur. Sie haben in einem Gedicht Ihres letzten Gedichtbandes auf eigene hoffnung dagegen plädiert, nun auch noch die Landschaft zu instrumentalisieren, daß auch sie dafür oder dagegen sein müsse. Polemisieren wir aber nicht inzwischen als ganze Spezies gegen die Landschaft und gegen die Natur? Und hat das nicht auch Folgen für die dichterische Bildlichkeit? Kann die bedrohte oder zerstörte Natur noch als Gegenbild dienen? Kann das Waldsein, um Sie zu zitieren, noch stattfinden mit uns?

Die Natur bietet auch heute noch Refugien. Der Baum, den wir kränken, kränkt uns nicht. Er stirbt. Aber ich habe die Natur noch nie als Fluchtstätte empfunden, sondern immer nur als Zuflucht, um zu mir selbst zu kommen, um arbeiten zu können.

> *... Welche Erfahrungen haben Sie denn nun in diesem letzten halben Dutzend Jahren mit dem Publikum hier im Westen gemacht?*

In der DDR habe ich ein Publikum gehabt, das von der Poesie noch etwas anderes verlangte, als der Poesie zu geben eigentlich zukommt, nämlich über Vorgänge zu informieren, die von anderen Medien, ja sogar eigentlich im Gespräch von Mensch zu Mensch mitgeteilt werden sollten. Ich bin froh, daß es dieser außerliterarischen Funktion der Poesie hier nicht bedarf. Und sonst: Ich hatte dort ein Publikum, das Poesieverständnis hat, und ich habe hier ein Publikum, das Poesieverständnis hat. Ich habe in der DDR in den letzten Jahren aus Greiz fliehen müssen, um arbeiten zu können, weil viele Besucher kamen – am Tag manchmal drei. Ich hätte mich gern jedem gewidmet, aber dann wäre der Arbeitstag weg gewesen. Ich habe dieselbe Freude und dasselbe Problem hier. Ich habe in der DDR mehr Post bekommen, als ich bewältigen konnte, und ich brauche hier fast den halben Arbeitstag, um die Post zu beantworten. Insofern hat sich an meiner Situation wenig geändert. Die Ursachen, weshalb sich Menschen hier an mich wenden, sind andere als in der DDR. Aber auch hier sind es existentielle Ursachen.

> *An einigen Gedichten läßt sich ablesen, daß Sie in der Tat hier in der Bundesrepublik ähnlich wie in der DDR Gesprächspartner, Ratgeber, vielleicht sogar so etwas wie Beichtvater sind – ich sage das ohne jede depravierende Nebenbedeutung. Vielleicht auch so etwas wie ein metaphysischer Sinnstifter, obwohl Sie selbst mehrfach betont haben, daß Ihnen die explizite religiöse Erfahrung fehlt. Aber Sie zitieren ja den Brief eines jungen Mädchens, in dem die berühmten Fragen nach dem Wo-*

her und Wohin gestellt werden. Warum sind wir über-
haupt auf der Erde und so weiter ... Wie verhält man
sich als Autor solchen globalen, einen vielleicht überfor-
dernden Fragen gegenüber, an denen unter Umständen
selbst ein Menschenleben hängen kann?

Ich kann nicht für andere sprechen. Ich selbst bin solchen Fragen gegenüber hilflos. Ich habe den Eindruck, manchen Menschen, manchen jungen Menschen hier ist die Fähigkeit verlorengegangen, sich zu freuen. Aber damit ist ihnen der Urgrund des Lebens verlorengegangen, denn letztlich leben wir doch aus der Freude. Wie wollen Sie jemandem helfen, die Fähigkeit wiederzugewinnen, sich zu freuen? ...

16. Juli 1983

Deutschlandfunk
Kultur heute

Das Gespräch führte
Klaus Sauer

Was ist Nation? Ein großer, ungejäteter Garten voll
Kraut und Unkraut. Wer wollte sich dieses Sammelplat-
zes von Torheiten und Fehlern sowie von Vortrefflich-
keiten und Tugenden ohne Unterscheidung annehmen,
und wenn es eine bloße Meinung von Seelenkräften
oder Verdiensten gilt, für diese Dulcinea gegen andre
Nationen den Speer brechen?

Johann Gottfried Herder

Etwas mehr als sechs Jahre ist es jetzt her, daß Sie, Rei-
ner Kunze, die DDR verlassen haben. Sie sind in Greiz
wohnhaft gewesen und haben geglaubt, Sie würden die
DDR nicht verlassen müssen. Dann gab es diskriminie-
rende, nahezu entwürdigende Behandlungen durch die
Behörden der DDR, denen Sie sich durch die Ausreise in
die Bundesrepublik entzogen haben. Nun fragt man
sich heute: Stehen Sie noch mit Freunden in Kontakt?
Aber auch: Gibt es so etwas wie ein Repertoire an Ein-
drücken und Erfahrungen, die aus jenen Jahren herrüh-
ren und die Sie nach wie vor beschäftigen?

… Ich kann nicht fünfundvierzig Jahre Leben, von denen dreißig bewußt in der DDR oder im Osten Deutschlands stattgefunden haben, aus meinem Leben plötzlich verlieren. Abgesehen davon, daß ich die Eltern dort habe, und abgesehen
davon, daß uns viel liegt an unseren Freunden.

Ist es eigentlich ein Glücksfall oder ein Trauerspiel, daß
jemand – noch dazu ein Schriftsteller, dessen Medium
die Sprache ist – von Deutschland nach Deutschland ge-
hen kann …?

Wenn ich das Schicksal meiner tschechischen Kollegen sehe,
meiner polnischen Kollegen, meiner russischen Kollegen, die
emigrieren mußten oder emigriert sind, dann ist es in der Tat
ein Glücksfall, daß ein Schriftsteller, dessen Existenz in der
DDR bedroht ist, in Deutschland bleiben kann, in seiner
Sprache, in der kulturellen Tradition … Was ist mir denn in
dieser Beziehung widerfahren? Ich habe als Schriftsteller alles
behalten, was ich als Schriftsteller im ureigensten Sinn brauche. Abgesehen davon, daß sich einem Menschen, der versucht, in die Gespräche der führenden Geister seiner Zeit hineinzuhören, hier ein viel größerer geistiger Horizont auftut
als in der DDR. Allein schon durch die Möglichkeit, die Bücher zu lesen, die er lesen will. Wir, meine Frau und ich, haben

bestimmte große Philosophen, bestimmte große historische Werke hier zum erstenmal lesen können – mit fünfundvierzig Jahren! Wir können uns hier die Gesprächspartner aussuchen, mit denen wir sprechen möchten. Das können Sie, wenn die Gesprächspartner oder Sie die Staatsgrenze nicht überschreiten dürfen, in der DDR nicht oder nur in geringerem Maße. Ihr geistiger Horizont ist dort zwangsläufig eingeengter. Hinzu kommt der Erlebnishorizont. Es ist schon etwas anderes, einmal in Amerika gewesen zu sein und dann zurückzukommen nach Passau, in eine Barockstadt. Man bekommt andere Maßstäbe. Und was die eigentliche Arbeit betrifft: Wir waren auch in der DDR glücklich. Ich hatte dort meine Frau, wir hatten unsere Kinder, wir hatten unsere Freunde, und es wäre absurd zu sagen, dort könne ein Mensch nicht glücklich sein. Aber diese Glücksmomente sind von den großen politischen Sorgen, von dem Druck, von der ideologischen Indoktrination, die Tag für Tag bis in den innersten Bereich der Familie hineinwirkt, weggedrückt worden. Insofern ist, glaube ich, das, was bis jetzt hier entstanden ist, reicher geworden an Tönen, überhaupt reicher geworden.

Reiner Kunze, nach über sechs Jahren in der Bundesrepublik ist die Frage wohl erlaubt, in welchem Maße Sie sich in Westdeutschland akklimatisiert haben. Gab es da Schwierigkeiten? Fühlen Sie sich – es fällt mir schwer, das zu formulieren – als ein veritabler Bürger dieser Bundesrepublik?

Für Hörer, die in der DDR eventuell zuhören, muß ich vorausschicken, daß auch nicht eine einzige Faser zerschnitten ist, die uns mit unserem vergangenen Leben verbindet, die uns mit Menschen verbindet, zu denen wir es, als wir noch dort lebten, nahe hatten. Nur: Wenn wir schon hier sein müssen, dann *will* ich auch hier sein, und dann will ich *hier* Schriftsteller sein.

War es schwierig, dahin zu gelangen?
Ich habe mich, das werden Sie vielleicht bemerkt haben, die ersten Jahre sehr zurückgehalten. Ich halte mich auch heute zurück, aber in meinen Urteilen kann ich heute schon ein ganz klein wenig weitergehen. Nach sechs Jahren Leben hier kann man anders urteilen als nach drei Jahren. Aber ich habe mich in den ersten Jahren besonders zurückgehalten und auch nicht danach gedrängt zu schreiben. Ich habe gewartet, bis sich so viel an Erleben angesammelt hatte, daß sich die Bilder wieder einstellten, daß die Einfälle kamen, daß ich wieder nicht anders fertig wurde mit dem Erlebten als schreibend, daß ich wieder nur schreibend Haltung gewinnen und mein Leben nur über das Schreiben intensivieren konnte. Natürlich war es schwierig, wir mußten uns ja in eine andere Welt hineindenken, in andere gesellschaftliche Bedingungen, in Umstände, die auch uns wieder verändert haben. Ich habe es hier beispielsweise mit einem Markt zu tun. Ich kann aber heute sagen, mit gutem Gewissen sagen, der Buchmarkt hat nicht den geringsten Einfluß auf das, was ich schreibe, oder darauf, wie ich schreibe und wie langsam oder wie schnell ich schreibe. Die Kriterien des Marktes wären ja ebenso außerliterarische Kriterien, wie es die Kriterien der Ideologie sind. Aber ich kann nicht ohne den Markt leben. Ich muß also den Markt akzeptieren, ohne daß ich ihm auch nur den geringsten Einfluß zubillige auf die Substanz dessen, was ich tue.

Zu den zweifellos bedrückendsten und vielleicht auch irritierendsten Erfahrungen in der Bundesrepublik gehört sicher der Eindruck, den der westdeutsche Schriftstellerverband, der VS, auf Sie gemacht hat. Nun möchte ich nicht die Geschichte Ihres Austritts, der ja ursprünglich gleichsam lautlos vor sich gehen sollte, aber ein überraschendes Echo fand – auch mit den Nachfolgeaustritten vieler anderer Kollegen, bei denen man

es mitunter gar nicht vermutet hätte, daß sie da enga-
giert waren –, das alles möchte ich nicht von neuem mit
Ihnen zu besprechen versuchen. Mich interessiert daran
eigentlich nur eines: Irritiert, ja besorgt waren Sie vor
allem darüber, daß der Vorsitzende des Schriftstellerver-
bandes, Bernt Engelmann, bei der ersten Berliner Be-
gegnung im Dezember 1981 in Ostberlin dafür plädiert
hat, den Wiedervereinigungsanspruch preiszugeben. Sie
fanden das grundfalsch. Für mich bleibt da aber immer
noch die Frage, wie man denn von hier aus umgehen soll
mit der DDR? Auch und gerade dann, wenn man ideo-
logisch, wenn man weltanschaulich ganz andere Positio-
nen innehat. Muß man nicht trotzdem versuchen – ge-
rade mit Blick auf die mitten durch Deutschland ge-
hende Grenze, die ja zugleich eine Grenze zwischen
den Blöcken ist –, so viel Normalität wie möglich im
Umgang miteinander herzustellen, was man zweifellos
nur um den Preis kann, daß man nicht bei jeder Gele-
genheit der DDR, der politischen DDR, ihrer Regie-
rung, ihren Organen vorwirft, daß die DDR ein unde-
mokratisches Regime ist? Und muß man nicht um der
Menschen willen, die dort leben, den Versuch machen,
trotzdem so viele Kontakte, Verbindungen und Bindun-
gen wie irgend möglich aufrechtzuerhalten?

Ich gestatte keinem Schriftsteller, der im Namen des Verbandes auftritt, dem ich angehöre, Menschen in der DDR vorzu-
schreiben, was sie sich zu wünschen haben und was nicht. Die
Hoffnung, durch eine friedliche Wiedervereinigung für ihre
Kinder oder Kindeskinder die menschlichen Grundrechte
wiederzuerlangen, diese Hoffnung vieler Menschen in der
DDR als friedensgefährdend zu denunzieren – das konnte ich
nicht mittragen. Im übrigen bin ich ganz Ihrer Meinung. Man
soll so viel wie möglich an Kontakten herstellen und pflegen.

Aber jetzt muß ich etwas sagen, das ich immer wieder habe spüren können, als ich noch in der DDR lebte: Nur wenn sie Rückgrat zeigten und tatsächlich keine Angst hatten, wenn sie ihre Angst also überwunden hatten – und davon mußte ihr Partner überzeugt sein –, nur dann hatten sie eine Chance, ernstgenommen zu werden. Das ist eine Erfahrung, die sich immer wieder bewahrheitet hat. Nur derjenige, der seinen Standpunkt nicht opportunistisch preisgab und ihn – selbstverständlich so anständig und so logisch wie möglich – verteidigte, und der sich von niemandem einschüchtern ließ, konnte damit rechnen, daß ihm sein Gegenüber vielleicht ein Stück entgegenkam, wenn auch zähneknirschend oder erst nach drei Jahren. Dieses Rückgrat sollte man immer zeigen.

11. Oktober 1983

Österreichischer Rundfunk
Literaturmagazin

Fragen:
Petra Herrmann

Ich habe mich des geflissen ym dolmetzschen, das ich
rein und klar teutsch geben möchte und ist uns wol offt
begegnet, das wir viertzehen tage, drey, vier wochen
haben in einiges Wort gesücht und gefragt, habens dennoch zu weilen nicht funden. Und ich weis nicht, ob
man das wort »liebe« auch so hertzlich und gnugsam in
Lateinischer oder andern sprachen reden müg, das also
dringe und klinge ynns hertz durch alle sinne, wie es
thut in unser sprache.

Martin Luther

Sprecher:
*Jan Skácel studierte an der Universität Brünn Slawistik
und war Kulturredakteur bei einer Brünner Tageszei-
tung, ehe er 1952 aus politischen Gründen entlassen
wurde. Zwei Jahre schlug er sich als Hilfsarbeiter in einer Traktorenfabrik durch. Zwischen 1954 und 1963 arbeitete er als Literaturredakteur im tschechoslowakischen Rundfunk. Bis 1968 veröffentlichte Skácel, dessen
Lyrik mit der Dichtung Georg Trakls und Peter Huchels
verglichen wurde, fünf Gedichtbände und einen Prosa-
band. Danach durfte er elf Jahre nicht publizieren. 1981
wurde in der Tschechoslowakei erstmals wieder eine
Auswahl von ihm herausgegeben.*

*Reiner Kunze, Sie haben Jan Skácel nicht zum ersten-
mal übersetzt. 1967 ist bereits ein Auswahlband unter
dem Titel* Fährgeld für Charon *erschienen. Jetzt, 1982,
kam der Band* Wundklee *heraus. Welchen Stellenwert
messen Sie Jan Skácel innerhalb der tschechischen und
der internationalen Literatur bei?*

Soweit ich mir dieses Urteil überhaupt erlauben darf, ist Skácel neben Jaroslav Seifert der bedeutendste Lyriker, der heute
in der Tschechoslowakei lebt. Und indem ich ihn neben Seifert
stelle, heißt es für mich, daß er ein Dichter von Weltrang ist.
Sein Dichten gilt den Grundfragen der menschlichen Existenz, und es ist von einer Bildkraft und Bildfülle, die man bei
nur wenigen Dichtern heute finden wird. Ich sage, er ist ein
Dichter von Weltrang, nicht von Weltruhm. Rang muß ja bekanntlich nicht immer Ruhm zur Folge haben, wie Ruhm
nicht immer auf Rang beruhen muß.

*Woran liegt es denn Ihrer Meinung nach, daß Skácel im
Ausland nur sehr wenige Kenner lesen oder überhaupt
kennen?*

In der östlichen Hemisphäre liegt es daran, daß er in der Tschechoslowakei zehn Jahre nicht hat publizieren dürfen. Das Buch, das 1981 von ihm erschienen ist, *Dávné proso* (ich habe es frei mit *Hirse Hirse lang ist's her* übersetzt), dieses Buch enthält auch nur eine kleine Auswahl der Gedichte, die er in diesen zehn Jahren geschrieben hat. In der östlichen Hemisphäre kann man ihn also nicht kennen, oder man durfte ihn nicht zur Kenntnis nehmen. Die westliche Öffentlichkeit lebt von Augenblick zu Augenblick, und der Augenblick ist eine zu kurze Zeit für ein Gedicht, insbesondere für ein Gedicht von Rang. Es sei denn, daß politische Sensationen Gedichte mit ins Bewußtsein spülen und daß dann bestimmte Dichter im Augenblick »in« sind. Aber das tschechische Volk liefert seit ca. fünfzehn Jahren kaum noch Sensationen, es ist uninteressant geworden. Und seine Dichter, wenn sie nichts anderes zu bieten haben als Gedichte, sind nicht »in«.

Sie sagen, es sind vor allem gesellschaftliche, politische Gründe, die Skácel hier so unbekannt sein lassen. Gibt es auch Gründe, die im Gedicht selbst liegen?

Ich möchte nicht falsch verstanden werden. Ich sage nicht, es sind vor allem politische Gründe, sondern es sind auch politische Gründe. Selbstverständlich liegen die Hindernisse auch im Gedicht als solchem. Ein Gedicht so aus einer fremden Sprache in die eigene zu übersetzen, daß es in der eigenen Sprache wieder ein Gedicht wird und man ihm nicht anmerkt, daß es nicht in dieser Sprache geschrieben worden ist, und es so zu übersetzen, daß die Übersetzung dem Original so nahe wie möglich kommt und ein Gleiches und zugleich Gleichwertiges entsteht, setzt als Übersetzer einen Lyriker voraus. Das ist zumindest meine Beobachtung über Jahrzehnte. Je ausgefallener eine Sprache aber ist, desto geringer ist die Wahrscheinlichkeit, daß aus ihr Gedichte übertragen werden. Wie viele Slawisten, die Tschechisch können, sind Lyriker? Oder anders gefragt: Wie viele Lyriker anderer Nationen können Tschechisch? Ich weiß, es gibt noch die dritte Möglichkeit, daß Slawist und Lyriker zusammenarbeiten, daß man mit Hilfe von Linearübersetzungen nachdichtet. Aber wie viele finden sich zusammmen und investieren dort zu zweit, wo schon der Nachdichter verhungern müßte? Der Dichter als Nachdichter ist jedoch nur eine von vielen Voraussetzungen für das Übertragen von Gedichten, und bei Skácel häufen sich die Hindernisse. Skácels Poesie korrespondiert ganz intensiv mit der tschechischen Volkspoesie, mit dem Volkslied, mit dem Volksleben, und man müßte, damit all die Nuancen, Anspielungen und Assoziationen im Deutschen aufgehen, diesen Hintergrund mit übersetzen. Das geht aber nicht. Man kann sich auch nur in Ausnahmefällen auf deutsche Volkslieder beziehen. Erstens sind sie kaum noch lebendig, und zweitens haben sie einen anderen Charakter, sind sie von einer anderen Mentalität geprägt. Eine tschechische »studánka« ist nicht der deutsche »Brunnen vor dem Tore«, und auch das Lied *Wenn alle Brünnlein fließen* reicht einem nicht das Fadenende, an das man anknüpfen möchte. Es geht da um Nuancen von Zartheit, Heiterkeit, Wärme …

22. Dezember 1983

Österreichisches Fernsehen
2. Programm
Jour fixe

Das Gespräch führte
Wolfgang Kraus

Bei dem ewigen Beweisen und Folgern verlernt das
Herz fast zu fühlen ...

Heinrich von Kleist

... Sie haben den ersten überwiegenden Teil Ihres Lebens in einer völlig anderen Gesellschaft gelebt, und jetzt sind Sie hier. Was erscheint Ihnen hier als das Gefährliche hinsichtlich der Wirkungsmöglichkeit von Literatur?

Erst einmal alles, was dem Lesen selbst entgegensteht – darüber haben wir bereits gesprochen. Dem Lesen selbst steht eventuell auch noch das Konsumdenken entgegen, die Orientierung auf das Ding, nicht auf den Geist. Was der Wirkung von Literatur ferner entgegensteht, sind im Osten die Indoktrination und die nackte Macht, die gegen das Buch aufgeboten wird, und im Westen – und jetzt spreche ich von Erfahrungen in der Bundesrepublik Deutschland, ich kann hier nicht verallgemeinern –, im Westen ist es die Tatsache, daß immer mehr Bereiche des Lebens ideologisiert werden, daß die Ideologisierung des menschlichen Lebens so zunimmt, daß man nur noch das anzunehmen bereit ist, was der eigenen Ideologie entspricht.

Merken Sie das stark hier im Westen?

Das merke ich sehr stark, und diese Ideologisierung hat Folgen: Einmal geht der künstlerische Maßstab verloren – der *künstlerische* Maßstab –, und zum anderen wird man unfähig, ein Kunstwerk aufzunehmen, Kunst zu erleben. Sie erwähnten vorhin Majakowski. Maria Gräfin Rasumowsky, Ihre Wienerin, hat ein Buch über die Zwetajewa herausgebracht, und in diesem Buch zitiert sie das Protokoll eines erweiterten Plenums des russischen Schriftstellerverbandes aus dem Jahre 1929. In diesem Protokoll sagt Majakowski: Alles, was sich gegen die Sowjetunion richtet, gegen uns richtet, hat keine Daseinsberechtigung, und deshalb – und da polemisiert er gegen Zwetajewa, die die Gedichte eines russischen Dichters gelobt hatte (mir fällt jetzt sein Name nicht ein) – und deshalb also, sagt Majakowski weiter, ist es unsere Aufgabe, alles, was nicht für uns ist, als so schlecht wie möglich hinzustellen.

Das ist ja die totale Politisierung der Literatur.

Aber das ist heute im Westen durch die Ideologisierung auch schon Methode.

Und Sie haben das Gefühl, daß diese Ideologisierung hauptsächlich in eine Richtung geht, die Ihnen wohlbekannt ist, die also auch diese Einseitigkeit und politische Prägung zeigt?

Mehr in eine bestimmte Richtung, ja; aber ich muß sagen, alle Ideologien streben danach, zu vereinnahmen und abzulehnen, was nicht ihrer Sinneshaltung entspricht.

Wir haben aber doch auf der anderen Seite die Tatsache, daß die ganze Technik, die Information, die Massenmedien auch in den Dienst des Buches gestellt werden, mit dem der einzelne wieder für sich allein ist, also die eigene Individualität ausbilden und sich, wie Sie sagten, durch Lesen der Vermassung erwehren kann.

Ich gebe Ihnen ja recht. Mir geht es nur darum, daß wir uns nicht in dem Selbstgefühl sonnen, wie *viel* Literatur heute bewirken kann. Da bin ich nämlich sehr skeptisch. Wir haben gesagt, was dem Lesen entgegensteht, und das ist sehr viel – wir wollen das Fernsehen nicht unterschätzen –, und wir haben gesagt, was der Wirkung von Literatur aus politischen Gründen, aus ideologischen Gründen, aus Gründen der Indoktrination entgegensteht, und zwar in Ost und in West. Aber es geht weiter. Ein anderer Grund, der der Wirkung von Literatur entgegensteht, ist, daß man von der Literatur wegerzieht. Ich denke jetzt an die Schule.

Wie würden Sie das charakterisieren?

... In der Lehrerfrage »Was wollte uns der Dichter damit sagen?« stecken zwei Gefahren: Einmal, das literarische Werk wird auf eine gedankliche Aussage reduziert, wird auf den Begriff gebracht und damit zerstört. Alles, was ein literarisches Kunstwerk bewirken kann, bewirkt es über die Sinnesvorstellung, an der alle fünf Sinne mehr oder weniger beteiligt sind. Es erregt, es kann zu Erschütterungen führen, es ruft Gefühle hervor, erzeugt Stimmungen ... Das alles wird zerstört, wenn man es auf eine Sentenz reduziert. Und meine Erfahrung ist, daß diejenigen, die ein Gedicht auf den Begriff zu bringen versuchen, sehr schnell auch einen Menschen auf den Begriff bringen. Und das zweite, was in dieser Frage steckt, ist: Was wollte uns – uns! – der Dichter damit sagen ... Also: Alle Kunst ist ein pädagogisches Exempel. Die Welt besteht aus Lehrern und Schülern, und in diesem einen Fall wird dem Schriftsteller gewissermaßen die Ehre zuteil, zum Lehrer erhoben zu werden, während er im anderen Fall, wenn die Lehrer zu einer bestimmten Art Germanisten gehören, sehr schnell zum Schüler werden kann ... Und auch das ruiniert das Literaturverständnis, auch das kann fürs ganze Leben den Zugang zur Literatur, zur Kunst verbauen, auch das steht der möglichen Wirkung von Literatur entgegen.

Und diese mögliche Wirkung würden Sie also darin sehen, daß sie über die fünf Sinne geht und sich in der Individualisierung des Lesers ausdrückt.

Ja ... Außerdem: Hätte der Dichter das sagen wollen, was solche Lehrer zu hören wünschen, hätte er es gesagt und kein Gedicht geschrieben.

Oder keinen Roman ... Das ist sicherlich eine Gefahr, die es heute in der Praxis tausendfach gibt ... Eine solche Haltung, wie Sie sie der Literatur gegenüber einnehmen – meines Erachtens völlig zu Recht einnehmen – eine solche Haltung bewirkt natürlich auch, daß sich ein Mensch, der so denkt, anders in einer Gesellschaft bewegen wird als einer, der die Literatur und den Menschen auf den Begriff reduziert.

Sie zitieren in Ihrem Buch *Nihilismus heute* einen Schüler Bakunins, Netschajew, der sagt: Es müssen die schwächenden Gefühle wie – ich bringe sie jetzt nicht alle zusammen – Liebe, Freundschaft, Dankbarkeit …

Sogar Ehre!

… ja, sogar Ehre – diese schwächenden Gefühle müssen unterdrückt, ausgerottet werden um der kalten Leidenschaft willen, die die revolutionäre Sache erfordert. Literatur, Kunst überhaupt, bildet die Phantasie aus, fördert das Vorstellungsvermögen, das heißt, sie ermöglicht es nicht nur, etwas nachzuerleben und nachzuempfinden, sondern sie ermöglicht es auch, etwas vorauszuempfinden und gegebenenfalls Hemmungen zu festigen … Und es ist ein Grundirrtum anzunehmen, ein literarisches Werk oder ein Kunstwerk überhaupt wirke nur dann antitotalitär, wenn es sich gegen ein totalitäres Regime richtet. Ein Kunstwerk wirkt antitotalitär, weil es ein Kunstwerk ist, weil es die schwächenden Gefühle – denn was schwächen sie denn, sie schwächen die Fähigkeit, brutal zu sein, die Fähigkeit, über den Menschen hinweg zu handeln – weil es die schwächenden Gefühle am Leben erhält und die Menschen sensibler macht.

5. Februar 1984

»Der Tagesspiegel«, Berlin

Fragen:
Jürgen P. Wallmann

Die sterbenden Juden haben vor ihrem Dahinscheiden
dieselben Sterbegebete *(Widui)* aufgesagt, die Jesus vor
seinem Tode betete.

Simon Wiesenthal

Herr Kunze, Sie waren einer der Sondergäste, die den Bundeskanzler nach Israel begleitet haben. Wie haben Sie diese Einladung empfunden?

Ich habe in ihr eine Geste den Deutschen gegenüber gesehen, die nicht schon immer Bürger der Bundesrepublik Deutschland gewesen sind ...

Als Sie vor den Abgeordneten der CSU-Landesgruppe im Bundestag in Wildbad Kreuth gesprochen haben, hat einigen Beobachtern der Atem gestockt.

Mir schrieb ein Herr aus Trier, ob sich die Rechte jetzt einen Dichter halte. Als ich an einem Treffen mit Helmut Schmidt und Willy Brandt teilgenommen hatte, hatte mir dieser Herr nicht geschrieben, ob sich die Linke einen neuen Dichter halte. Ich habe ihn gefragt, ob ihn diese Unterlassung nicht nachdenklich stimme. Es ist selten genug, daß Politiker einen Schriftsteller einladen. Er sollte hingehen – insbesondere, wenn es sich um Politiker handelt, die über unser Leben an so maßgeblicher Stelle mitentscheiden wie im Bundestag oder in der Regierung. Der Atem kann nur denen stocken, die sich die Herrschaft des Monologs wünschen.

Mit welchen Gefühlen sind Sie nach Israel gefahren?

Ich bin als Schuldloser nach Israel gefahren, der sich verantwortlich fühlt.

In Ihrem Buch Die wunderbaren Jahre *weisen Sie Antisemitismus im sogenannten realen Sozialismus nach. Das war gefährlich für Sie, denn als das Buch in der Bundesrepublik erschien, lebten Sie noch in der DDR. Diese Haltung haben Sie in der Bundesrepublik nicht aufgegeben – ich denke an das Gedicht* Fernsehübertragung im gasthof zu E. *aus Ihrem Buch* auf eigene hoffnung. *Nun konnte man lesen, daß es in Israel gegen den Besuch des Bundeskanzlers Demonstrationen gab. Wie haben diese auf Sie gewirkt?*

Die Hebräische Universität hatte mich zu einer Lesung eingeladen. Alle Plakate waren sofort abgerissen worden, und ich hatte mit einem Boykott gerechnet, aber es kamen so viele Menschen, daß der Hörsaal gewechselt werden mußte, und nicht nur die Lesung, auch das Gespräch mit den Zuhörern verlief ohne Dissonanz. Wahrscheinlich war es ein einzelner oder eine kleine Gruppe, der oder die die Plakate systematisch abgerissen hat.

> *Heißt das, daß man diese Relation zwischen Protest und Gespräch verallgemeinern kann?*

Ja.

> *Als Sondergast werden Sie wahrscheinlich nicht an den offiziellen Verhandlungen teilgenommen haben. Aber sind Sie in persönlichen Gesprächen mit Problemen konfrontiert worden, die das Verhältnis zwischen der Bundesrepublik Deutschland und Israel betreffen?*

Ich bin zum Beispiel gefragt worden, warum in der Bundesrepublik eine Organisation ehemaliger Angehöriger der Waffen-SS nicht verboten wird. Ich habe mich geschämt, daß es sie gibt, und ich habe gesagt, daß ich mich schäme. Ich weiß, daß diese Organisation in bezug auf ihre Mitgliederzahl und ihren Einfluß in der Bundesrepublik ohne Belang ist, und ich kenne die verfassungsrechtlichen Gegebenheiten. Aber man kann nicht von *besonderen* Beziehungen zu Israel sprechen und vor einer *besonderen* gesetzgeberischen Maßnahme zurückschrecken, wenn es darum geht, bestimmte Personen daran zu hindern, ihren Mangel an Einsicht und politischem Gespür in die internationale Politik einzubringen ... Es gibt genug Probleme zwischen der Bundesrepublik und Israel, die aufgrund der Kompliziertheit und Komplexität der Verhältnisse im Nahen Osten nicht oder vorerst nicht gelöst werden können.

Herr Kunze, Sie als Schriftsteller, als Lyriker bei einem Staatsbesuch – wie haben Sie sich in diese Rolle hineinfinden können?

Niemand hat mich gezwungen, mitzuspielen.

Fühlten Sie sich deplaziert?

Ich fühle mich schon bei einer Party deplaziert; was also erst, wenn Hunderte von Menschen einem Bundeskanzler hinterherlaufen, nicht sehend, wie sehr sie ihn behindern (ich meine nicht die Journalisten – sie müssen ihre Arbeit tun) ... Aber da ich schon am zweiten Tag meiner Wege gegangen bin, habe ich Jerusalem und die Judäische Wüste außerhalb des offiziellen Programms kennenlernen und Gespräche führen können, von denen ich einige nicht vergessen werde. Ich muß hinzufügen: Es war im Sinn des Kanzlers, wenn zusätzliche Kontakte entstanden ...

30. November/ 1. Dezember 1985

»Passauer Neue Presse«, Passau

Fragen:
Franz Harrer

Der Menschheit ist nicht zu helfen, aber diesem und
jenem. Zola rettete Dreyfus.

Ludwig Marcuse

Herr Kunze, Sie haben als offizielles deutsches Delega-
tionsmitglied am KSZE-Kulturforum in Budapest teil-
genommen. Können Sie uns kurz Ihre Eindrücke, Er-
fahrungen und Folgerungen schildern?

Meine Erfahrungen sind mit Reserve aufzunehmen, denn ich
bin nur wenige Tage in Budapest gewesen und habe ausschließlich an den Sitzungen des »Subsidären Arbeitsorgans
für Literatur (Literatur, Publizieren und Übersetzen)« teilgenommen.

Mein Eindruck: Die meisten Delegationen des Ostblocks
wirkten auf mich wie Panzerverbände in Marschformation,
und nicht wenige Delegierte des Westens wie Feldhasen, die
zwischen diesen Panzerverbänden irritiert hin und her spran-
gen ... Es tut mir leid, daß mir dieses kriegerische Bild gekommen ist, aber es ist mir *gekommen*. Selbstverständlich gab es
auf unserer Seite nicht nur irritierte Feldhasen, wie es auf der
anderen Seite nicht nur Stahl gab ...

Kann eine derartige Mammutveranstaltung mit 35 De-
legationen und über 800 Teilnehmern überhaupt brauch-
bare Ergebnisse bringen? Oder soll man eher den Wert
dieses KSZE-Kulturforums darin sehen, daß eine solche
Ost-West-Begegnung in einer sozialistischen Haupt-
stadt möglich war?

Diese Konferenz wird nichts Wesentliches bewegen, das nicht
auch ohne sie bewegt werden würde. – Und was den Konfe-
renzort betrifft: Budapest ist zur Zeit diejenige Hauptstadt
der Warschauer-Pakt-Staaten, in der ein solcher Kongreß den
geringsten ideologisch-politischen Schaden für den Osten an-
richten kann.

Eigentlich sollten die Kulturdiplomaten in den Hinter-
grund treten und die Kulturschaffenden in den Vorder-
grund. So war es jedenfalls in Madrid vereinbart wor-
den. Nun setzten sich aber die Ostblockdelegationen

fast ausschließlich aus Beamten und Funktionären zu-
sammen. Machte dies einen offenen, ehrlichen Dialog
nicht fast aussichtslos?

Die Ostblockdelegationen würden sich wohl vehement dagegen verwahren, daß sie fast ausschließlich aus Beamten (die
es in diesen Staaten nicht gibt) und Funktionären zusammen-
gesetzt gewesen seien. In ihnen gab es eine Reihe von Schriftstellern. Die Frage ist nur: Wer sind die meisten dieser Schriftsteller?

Die norwegische Schriftstellerin Ase-Marie Nesse hatte der
sowjetischen Delegation Namen von in der Sowjetunion ver-
folgten Autoren vorgelegt. Die Antwort: Das seien keine Autoren, nie hätten sie etwas geschrieben. Unter den Genannten
war die zu fünf Jahren Lager verurteilte Lyrikerin Irina Ratuschinskaja, deren Gedichte Ase-Marie Nesse ins Norwegische
übersetzt und von denen der internationale PEN einen Auswahlband in drei Sprachen herausgegeben hat. Es bedurfte
also gar nicht der Funktionäre, um einen offenen und ehrlichen Dialog so gut wie aussichtslos zu machen. Die Schriftsteller selbst verrieten ihre Kollegen.

Ein Dialog war aber auch aus verfahrenstechnischen Gründen
fast ausgeschlossen. Kein Redner durfte unterbrochen werden
– Zwischenfragen waren also nicht gestattet –, und das Recht
auf Widerspruch, das von den Delegationen beansprucht werden konnte, durfte stets nur am Ende einer Sitzung wahrgenommen werden – ein Recht, das die westlichen Delegationen
erst hatten erstreiten müssen. Die Reden selbst mußten bereits
am Vortag oder spätestens bis zum Morgen des Sitzungstages
angemeldet werden, so daß sich niemand, der nicht zufällig
Redezeit beantragt hatte, mit einer in der betreffenden Sitzung
geäußerten Meinung auseinandersetzen konnte. Versuche, die
Konferenz geistig beweglicher zu machen, scheiterten am Widerstand der Ostblockstaaten.

Erschöpfte sich dann die Konferenz nicht in einer Wiederholung der bekannten Standpunkte über die Begriffe »Kultur« und »Kulturaustausch«?

Nicht nur über *diese* Begriffe ... Und bei dem Begriff »Zensur« steigerte sich die Erschöpfung bis zum Kollaps. Während sich westliche Delegierte über offene und versteckte Zensur beklagten, der sie sich ausgesetzt sähen, beteuerten Delegierte des Ostens, daß es bei ihnen Zensur nicht gebe.

Hat die Konferenz nach Ihrem Eindruck wenigstens Ansätze von Bereitschaft zur Annäherung zwischen dem westlichen Kulturkonzept, das auf Freiheit und schöpferischer Autonomie des Individuums gegründet ist, und dem östlichen Kulturkonzept, das Kultur ausschließlich als ein politisches und staatliches Instrument der ideologischen Indoktrinierung einsetzt, erbracht?

Schlimm, wenn der Westen bereit wäre, sich einem Konzept anzunähern, das Kultur ausschließlich als ein politisches und staatliches Instrument der ideologischen Indoktrination einsetzt. Aber es hat diese Bereitschaft auf der Konferenz gegeben – bei einzelnen. Kurz vor meiner Abreise nach Budapest hatte die Presse gemeldet, daß im Lager 36 bei Perm, Ural, der ukrainische Dichter Wassyl Stus nach zwölfjähriger Haft an einem Magen- und Nierenleiden zugrunde gegangen ist. Wenn Sie dann hören, wie sich jemand, der das Ticket für den Rückflug in ein demokratisches Land bereits in der Tasche hat, bei denen anzubiedern versucht, die Menschen wie Stus noch über den Tod hinaus die Ehre abschneiden, meinen Sie, nicht mehr die Kraft zu haben, so viel Schande zu ertragen.

Kann Kultur und können Künstler, Dichter, Maler und Komponisten in der heutigen Ost-West-Konfrontation überhaupt eine Brückenfunktion übernehmen, vor allem in den Gebieten, in denen die Politik nicht weiterkommt, nämlich bei den Fragen der Freiheit, der

*Gedanken und des Ausdrucks, der Schaffensfreiheit,
beim Kampf gegen Zensur und gegen Unterdrückung
von Minderheiten?*

Botschafter von Hase zitierte auf dem KSZE-Forum den
Schweizer Historiker Jacob Burckhardt: »... Der Geist ist ein
Wühler und arbeitet weiter.« Ich möchte ein Zitat von Albert
Camus hinzufügen: »... und es gibt kein einziges echtes
Kunstwerk, das nicht am Schluß die innere Freiheit eines je-
den, der es kannte und liebte, vergrößert hätte.«

*Mit den Reden der Delegationschefs der beiden Staaten
in Deutschland – des früheren ZDF-Intendanten von
Hase und des DDR-Kulturministers Hoffmann – kam
auch die Problematik der deutschen Teilung in Budapest zur Sprache. Während von Hase die Einheit der
deutschen Kulturnation betonte, sprach der Ost-Berliner Delegationsleiter von einer »sozialistischen Natio-
nalkultur der DDR«. Herr Kunze, Sie kommen selbst
aus der DDR, daher die Frage: Wie stark ist im anderen
Teil Deutschlands noch das Festhalten an der deutschen
Kulturnation?*

Damals, als wir noch in der DDR lebten, war es sicherlich
stärker als in der Bundesrepublik, und das wird heute nicht
wesentlich anders sein. Aber die ideologische Beeinflussung
vom Kindergarten an und die teilweise geistige Isolation, in
der viele junge Menschen in der DDR heranwachsen, hinterlassen ihre Spuren. Wenn ich die Berichte, die ich gelegentlich
erhalte, richtig deute, bildet sich bei den jetzt in der DDR Her-
anwachsenden mehr und mehr ein kleinstdeutsches Bewußtsein heraus, über dessen Dimensionen sich die jungen Menschen selbstverständlich nicht im klaren sind, da ihnen die
Maßstäbe fehlen. Dagegen scheinen in der Bundesrepublik immer mehr Jugendliche die deutsche Kultur als etwas zu begreifen, das sie mit den Menschen in der DDR gemeinsam haben.

Die Kluft zwischen Regierungspolitikern und Schrift-
stellern bei uns in der Bundesrepublik sei seit der Wende
in Bonn ganz groß geworden; »größer könne sie nicht
sein«, urteilte kürzlich Martin Gregor-Dellin, der Prä-
sident des deutschen PEN-Zentrums. Stimmen Sie die-
ser Einschätzung zu? Was sind nach Ihrer Ansicht die
Ursachen dafür?

Die Klage, zwischen der Regierung und den Schriftstellern bestehe eine Kluft, habe ich schon gehört, als Helmut Schmidt
Kanzler war. Als wie groß die Kluft damals angesehen wurde,
weiß ich nicht mehr. Ich weiß nur noch, daß bei einer Begeg-
nung mit Helmut Schmidt ihn einige meiner Kolleginnen und
Kollegen in einer Weise abgekanzelt haben, daß ich mich für
sie geschämt habe. Die Klage ist also nicht neu. Neu sind vielleicht nur die Ausmaße, die der Kluft heute zugeschrieben
werden. Ich selbst habe mich jedoch weder unter der Kanzler-
schaft Helmut Schmidts in meiner schriftstellerischen Arbeit
beeinträchtigt gefühlt, noch fühle ich mich unter der derzeitigen Regierung beeinträchtigt, und bei den Gesprächen, die in
den letzten Jahren zwischen Regierungspolitikern und
Schriftstellern stattgefunden haben, bin ich mindestens
ebenso um Verständnis bemühten Zuhörern und Erwiderern
begegnet wie vor 1982.

Ich kann allerdings nicht beurteilen, wie tief die Kluft zwischen der Regierung und den offiziellen Vertretern des PEN
oder der Schriftstellerverbände ist. Wenn sie so groß ist, daß
sie nicht größer sein könnte, bedaure ich das sehr. Aber zu einer Kluft gehören zwei. Die Regierung war noch nicht lange
im Amt, als jemand, der Bücher schreibt und sehr bekannt ist,
in Gegenwart von Kolleginnen und Kollegen sagte, mit dieser
Regierung liege uns, den Schriftstellern, »der Strick schon um
den Hals«. Ein einziger widersprach. Ein anderer – ihm wider-
sprachen zwei – meinte, außer den Regierungen Brandt und

Schmidt hätten wir in der Bundesrepublik »nur faschistische Regierungen« gehabt. – So viel ideologische Verblendung ist nicht geeignet, ideologische Erstarrung auf der anderen Seite aufzubrechen.

Sollten sich nach Ihrer Ansicht Schriftsteller parteipolitisch öffentlich engagieren, auf Wahlveranstaltungen auftreten oder in Fernsehspots der Parteien mitwirken?
Der Schriftsteller ist auch Staatsbürger, und jeder Staatsbürger hat das Recht, sich öffentlich parteipolitisch zu engagieren. Je bekannter ein Schriftsteller ist, desto zurückhaltender sollte er jedoch sein. Kann er sich für die Politik einer *Partei* mehr verbürgen als jeder andere Bürger? Und wenn nicht, darf er dann seinen Bekanntheitsgrad in die Wahlschale werfen? Wenn er den Vertrauenskredit, den er durch seine Bücher erworben hat, einer bestimmten Partei zuführt, ist das zumindest eine »zweckentfremdende Verwendung« dieses Kredits. In einem Fernsehspot hat meines Erachtens kein Schriftsteller etwas zu suchen. Ein Fernsehspot ist der absolute Nullpunkt differenzierenden Denkens.

12. Januar 1987

»Die Welt«, Bonn

Das Gespräch führte
Siegmar Faust

Und es macht mich betroffen, daß wir so lange gebraucht haben ... zu lernen ... Und daß wir einer großen Unwahrheit Vorschub leisteten. Die Emigranten aus
den kommunistischen Staaten, denen wir kein Gehör
schenkten, sagten die Wahrheit.

Susan Sontag

... Einige Kollegen hier nehmen Ihnen übel, daß Sie sich in der Bundesrepublik als »angekommen« empfinden. In Ihrem Buch auf eigene hoffnung haben Sie geschrieben: »Auch dies ist mein Land.«

Der eine oder andere hat vielleicht zu sehr unter den Übeln der Demokratie gelitten, um verstehen zu können, daß sich jemand, der aus einer Diktatur kommt, hier angekommen fühlt. Das tut mir leid, und ich muß es respektieren ...

Wie stark fühlt man sich hier noch mit den Menschen in der DDR verbunden; was kann man von hier aus noch für sie tun?

Wenn das, was ich schreibe, in den besten Stücken Literatur ist, bedeutet es für einige wenige Menschen dort das gleiche, was es für einige wenige Menschen hier bedeutet.

Aber Sie schreiben doch nicht mehr über das Leben dort.

Aber über das Leben – und darauf kommt es doch an.

Ihre Bücher sind freilich für Menschen in der DDR kaum noch erreichbar.

Sie waren auch kaum erreichbar, als ich noch in der DDR lebte; denn mit einer einzigen Ausnahme sind meine letzten Bücher nur in der Bundesrepublik gedruckt worden. Dennoch gab es nach einiger Zeit in der DDR Abschriften, ohne daß sich jemand das Manuskript ausgeliehen gehabt hätte.

Sie haben einmal gesagt, Sie schrieben nicht, um Politik zu machen. Aber eine politische Frage möchte ich Ihnen dennoch stellen: Wodurch ist Ihrer Meinung nach die westliche Demokratie am meisten gefährdet?

Daß der Westen – was wir heute unter Westen verstehen – nie begreifen wird, was der Osten ist.

Und warum wird er das nicht begreifen?

Erfahrungen sind im wesentlichen nicht vermittelbar, und das, was vermittelbar wäre, wollen viele hier nicht hören, weil sonst ihr Weltbild in den großen Weltbrunnen fallen würde.

... Was meinen Sie, was man hier vor allem nicht zur Kenntnis nehmen möchte?

Daß dieses System dort heimtückisch ist. Man lese jene Briefstellen bei Lenin, in denen er rät, wie man sich den Demokratien gegenüber verhalten soll. (»Genosse Tschitscherin, Sie sind allzu nervös ... Sie und ich haben im Zeichen unseres Programms unserer revolutionären proletarischen Partei gegen den Pazifismus gekämpft. Das ist klar. Aber sagen Sie mir doch, wo und wann die Partei es je abgelehnt hätte, den Pazifismus zu benutzen, um ihren Feind, die Bourgeoisie, zu spalten?« – »Nach den Beobachtungen, die ich in der Emigration gemacht habe, muß ich feststellen, daß die sogenannten Gebildeten in Westeuropa und Amerika unfähig sind, den derzeitigen Stand der Dinge und das derzeitige Kräfteverhältnis zu verstehen; diese Gebildeten müssen als Taubstumme angesehen werden ... a) Um die Taubstummen zu beschwichtigen, müssen wir die [fiktive] Trennung unserer Regierung und ihrer Institutionen von Partei und Politbüro, vor allem aber von der Komintern bekanntgeben und erklären, diese Organe seien politisch unabhängige Organe, die auf dem Gebiet unserer Sozialistischen Sowjetrepublik geduldet werden. b) Wir müssen den Wunsch nach einer unverzüglichen Wiederaufnahme der diplomatischen Beziehungen mit den kapitalistischen Ländern auf der Grundlage vollständiger Nichteinmischung in ihre inneren Angelegenheiten zum Ausdruck bringen. Sie werden sogar sehr befriedigt sein und ihre Türen weit öffnen, durch die dann die Kuriere der Komintern und unsere Agenten im Gewande von Diplomaten, Kultur- und Handelsbeauftragten in diese Länder hineingelangen.«*) Das ist Aufforderung zur Heimtücke.

---

* Siehe Anm. am Schluß

... Was ist Ihre Meinung über die deutsche Einheit, über unsere historisch-geistige Substanz? Und welche Wünsche hegen Sie im Hinblick auf Europa?

Die anderen Völker werden dafür sorgen, daß wir Deutschen uns zumindest immer unserer Schande bewußt bleiben – und daß sich kein Deutscher aus der Verantwortung stiehlt; und damit werden sie dafür sorgen, daß wir nie vergessen, *ein* Volk zu sein. Aber in der Vergangenheit dieses Volkes gibt es auch Sternstunden – und die Schande und die Sternstunden dürften genügen, daß das Bewußtsein, *ein* Volk zu sein, die Spaltung überdauert ... Und meine Wünsche für Europa sind in den Wunsch eingebunden, den ich für Deutschland hege. Mögen wir, mögen unsere Kinder, unsere Enkel nie versucht sein, die Einheit höher zu veranschlagen als die in der Demokratie mögliche Freiheit.

Juni 1987

»Madame«, München

*Das Gespräch führte
Irene Krawehl*

Zum Wesen des Kunstwerks gehört, daß es wohl Sinn hat, aber keinen Zweck. Es ist weder um eines technischen Nutzens noch eines ökonomischen Vorteils noch einer didaktisch-pädagogischen Unterweisung und Besserung, sondern um der offenbarenden Gestalt willen da. Es beabsichtigt nicht, sondern »bedeutet«; es »will« nichts, sondern »ist«.

Romano Guardini

Wenn mein Werk von allein entstünde, ohne Anstrengung von mir, hätte ich recht wenig Gefallen daran; wenn ich allein es machen würde, ohne seinen Willen, würde es mir noch weniger gefallen.

Juan Ramón Jiménez

Kann ein Gedicht die Welt verändern? Ihr Leben,
denke ich, ist durch Liebesgedichte tiefgreifend verän-
dert worden.

Ein Gedicht kann nicht die Welt verändern, aber für das Leben
des Autors kann es Folgen haben.

Eine Rundfunksendung mit Ihren Gedichten hat zum
Abbruch Ihrer Universitätslaufbahn geführt.

Ja. Nachdem sich andere Anklagepunkte als haltlos erwiesen
hatten, nahm man eine Sendung mit Liebesgedichten zum Anlaß, mir vor allen Studenten den Prozeß zu machen. Man muß
aber hinzufügen: Das war Ende der fünfziger Jahre ... Wer
solche Gedichte schreibt, lautete die Anklage, sei nicht in der
Lage, sozialistische Studenten zu erziehen. Mit diesen Gedichten würde ich die Studenten »entpolitisieren«. In meinen
Liebesgedichten fehle der Klassenstandpunkt. Zur Belehrung
hielt man mir Liebesgedichte von Mao Tse-tung vor. Da ich zu
keiner Selbstkritik zu bewegen war, wurde ich Hilfsschlosser
im Schwermaschinenbau.

Aber diese Liebesgedichte haben auch Positives be-
wirkt.

Ein Dreivierteljahr nach der Sendung dieser Gedichte erhielt
ich eine Karte aus der Tschechoslowakei. Sie war an den
Sender Dresden gerichtet gewesen und auf Umwegen an mich
gelangt. Eine Hörerin erbat eines der Gedichte. Die Karte war
in tadellosem Deutsch geschrieben, und ich dachte: wahrscheinlich eine ältere Deutsche, vielleicht eine pensionierte
Germanistin. Ich schickte ihr das Gedicht und erhielt eine
Vierseitenantwort. Es entspann sich ein Briefwechsel, der auf
über vierhundert Briefe anwachsen sollte, darunter Briefe bis
zu fünfundzwanzig Seiten. Die Dame war so alt wie ich, Me-
dizinerin, zweisprachig aufgewachsen – der Vater war Deutscher, die Mutter eine in Wien geborene Tschechin. Sie werden
fragen, warum wir einander so viele Briefe geschrieben haben

– damals war die Tschechoslowakei für einen DDR-Bürger unerreichbares Ausland (und umgekehrt war es nicht anders). Wir schickten einander auch ein Foto, und auf dem Bild, das ich von meiner Briefpartnerin bekam, war sie siebzehn (sie hatte kein anderes), und es war alles andere als vorteilhaft. Aber ich sagte mir: Diese Frau kann aussehen, wie sie will – so einen Menschen findest du nicht wieder, und obwohl wir einander in Wirklichkeit nie gesehen hatten, fragte ich sie, ob sie meine Frau werden wolle, und da ich die schriftliche Antwort nicht erwarten konnte, entschloß ich mich, sie anzurufen. Das war damals nicht so einfach. Jedes Telefongespräch wurde handvermittelt – und manches überhaupt nicht. Nach der Arbeit, gegen 14.30 Uhr, meldete ich vom Apparat eines befreundeten Ehepaares das Gespräch an. Gegen zehn Uhr abends ging die Frau des Freundes schlafen, nach Mitternacht er. Gegen halb drei Uhr morgens klingelte das Telefon tatsächlich, und am anderen Ende der Leitung war die Stimme der Frau, die ich gefragt hatte, ob sie *meine* Frau werden wolle. Und sie sagte: Ja.

Und wie ging das dann weiter?
Später gelang es mir, mit einer offiziellen Reisegruppe für zwei Tage nach Prag zu fahren, und meine künftige Frau sagte, sie habe mich an dem altmodischen Mantel erkannt, den ich auf dem Foto getragen hatte. Sie aber sah in Wirklichkeit durchaus nicht »unvorteilhaft« aus. Nur *durften* wir nicht heiraten. Jeder tschechoslowakische Staatsbürger, der damals einen Ausländer heiraten wollte, brauchte die persönliche Genehmigung des Innenministers, und an die war nicht heranzukommen. In Prag lernten wir den Landvermesser aus Kafkas *Schloß* verstehen. Im Erdgeschoß des Innenministeriums gab es Telefone, weiter durfte man sich den Funktionären nicht nähern. Und wir konnten es uns nicht leisten, oft von Aussig, wo meine Frau arbeitete, nach Prag zu fahren. Damals verdienten

in der Tschechoslowakei die Ärzte weniger als ein Hilfsarbeiter (den Ärzten war es auch untersagt, den Doktortitel zu führen). Die Frau, die ich heiraten wollte, war Kreiskieferorthopädin, stellvertretende Bezirkskieferorthopädin und operierte im Krankenhaus, aber Gardinen konnte sie sich nicht leisten. Sie hatte Verbandmull an den Fenstern.

Inzwischen hatte ich tschechische Schriftsteller kennengelernt und begann, mittels Interlinearübersetzungen tschechische Poesie ins Deutsche zu übertragen, und als in Berlin eine erste Auswahl dieser Übersetzungen erschienen war, schickte ich das Bändchen an den Tschechoslowakischen Schriftstellerverband und schrieb den Kollegen, daß man uns nicht erlaube zu heiraten ... Das Büchlein in der Hand, intervenierten sie beim Kulturminister, und eines Tages kam mit unscheinbarer Post die Heiratserlaubnis. So wurde meine Frau mein erster und kostbarster Literaturpreis.

Ihre Frau ist Ihnen in die DDR gefolgt?

Wir haben dann in Thüringen gewohnt, in Greiz. Als Schriftsteller wollte ich dort leben, wo meine Sprache gesprochen wird – und sie ist ja auch eine der beiden Muttersprachen meiner Frau.

Wenn ich richtig rechne, haben Sie mit Ihrer Frau fünfzehn Jahre in der DDR gelebt ... Gab es einen konkreten Anlaß für Sie, im Frühjahr 1977 die DDR zu verlassen?

Die meisten meiner (wenigen) Bücher hatten zwar nur in der Bundesrepublik erscheinen können, aber wir hatten nie mit dem Gedanken gespielt, von den Menschen wegzugehen, denen wir uns zugehörig fühlten. Doch dann erschien das Buch *Die wunderbaren Jahre*, ich wurde aus dem Schriftstellerverband ausgeschlossen, und der Druck auf uns – insbesondere auf unsere Tochter – wurde unerträglich. Auch bin ich kein Kämpfer. Das heißt, ich kämpfe schon, wenn ich dazu gezwungen werde, aber ich suche den Kampf nicht. Und ich habe auch nicht die Konstitution für einen Märtyrer; zuletzt aber war es gefährlich.

Sie haben sich den Zorn der Behörden zugezogen, weil Ihre Gedichte nicht den sozialistischen Zielvorstellungen entsprachen. Kann ein Dichter überhaupt etwas bewirken? Durch sein Werk, meine ich.

Dort, wo Gedicht und Macht, Kunst und Macht zusammenstoßen, ist das Gedicht, ist Kunst machtlos. Wenn ein Gedicht überhaupt etwas verändern kann, dann nur etwas in uns, im einzelnen Menschen.

Aber hat der Dichter nicht eine Botschaft?

Die Botschaft des Dichters – wenn er schon eine haben muß – ist das Gedicht. Und das läßt sich nicht zerlegen. Das heißt, es läßt sich schon zerlegen – aber dann wird es nicht mehr als *Gedicht* wirken, als *Bild*, das in jedem von uns andere Assoziationen hervorruft (weil es nur das in uns aktivieren kann, was in uns ist, was wir erlebt, erlitten, durchdacht oder verdrängt haben). Dann wird es uns nicht empfindsamer, nicht feinfühliger, nicht um ein Unmeßbares »besser« machen können. Ja, dann wird es uns nicht einmal in eine Stimmung versetzen oder aus einer beklemmenden Stimmung erlösen können. Wenn ich ein Gedicht zerlege, um einen Gedanken – die vermeintliche »Botschaft« – zu finden, dann verfehle ich die Botschaft des *Gedichts*.

Also gibt es für Sie kein politisches Gedicht?

Ein dichterischer Einfall geht immer auf Erschütterung zurück, auf Betroffensein (auch ein Glücksmoment ist ein Moment der Betroffenheit). Dabei kann Wirklichkeit in das Gedicht eingehen, die politische Zusammenhänge widerspiegelt, und es entsteht ein politisches Gedicht.

Braucht man eine Vorbildung, um ein Gedicht zu verstehen?

86

»Verstehen« könnte wieder als ein rein gedankliches Erfassen mißdeutet werden. Ich würde lieber sagen: Bedarf es einer Vorbildung, damit mir ein Gedicht etwas bedeuten kann, damit es mich erschüttern, beglücken, mitreißen kann, damit ich es – lieben kann? Und Lieben ist erst einmal keine Frage der Vorbildung. Etwas ganz anderes ist es, daß der, der liebt, den Umgang mit dem suchen wird, was er liebt (oder den er liebt). Auf diesen Umgang kommt es dann allerdings sehr an, auf dieses Zusammenleben – auch von Leser und Gedicht. Anders gesagt: »Das Bildwerk hat im Grunde nur der verstanden, der es nicht entbehren kann.« (Hans Wimmer)

Aber man kann doch Bedürfnisse wecken?

Gewiß. Dennoch wird nicht jeder zu allem, was es auf der Welt gibt, einen Zugang finden. Warum sollte er auch. Es kommt darauf an, daß jeder intellektuell und emotional so reich wie *ihm* möglich lebt.

Welche Gefahren für einen Dichter und seine Werke in einem totalitären System bestehen, haben Sie selbst erlebt? Was erscheint Ihnen im Westen als »literaturfeindlich«?

U. a. das Ersetzen der literarischen Maßstäbe durch ideologische ... Auch hier. Der Osten wirft seinen Schatten nach. Oder er wirft ihn voraus.

Sie haben einmal gesagt, daß man in den Schulen von der Literatur geradezu wegerzieht, u. a. durch die Frage: Was wollte uns der Dichter damit sagen?

Unsere Geistestradition ist dermaßen vom abstrahierenden Denken geprägt, daß wir alles und jedes nach einer Idee durchforsten – und den Wald gar nicht mehr wahrnehmen. Und wenn wir die Idee nicht finden, denken wir sie in den Wald hinein. Die Idee vom Wald ist uns wichtiger als der lebende Baum, als eine Vogelkehle.

Woher nehmen Sie die Erlebnisse zu einem Gedicht?

Ich nehme sie nicht, ich habe sie.

Und Sie suchen sie nicht?

Nein. Das geht auch gar nicht. In welcher Richtung wollen Sie denn suchen? Der Einfall zu einem Gedicht *kommt* – wann und wodurch, das weiß vorher niemand. Sie können ihn nicht herbeiwollen.

Sie nehmen sich also nie vor, ein – sagen wir – Liebesgedicht zu schreiben?

Ohne einen Einfall gehabt zu haben? Nie.

Das heißt, Sie müssen als Dichter warten, bis das Gedicht kommt?

Nicht das Gedicht – der Einfall. Das Gedicht ist Arbeit, oft quälende Arbeit, die Tage und Wochen, mitunter Monate dauert. Aber wenn Sie zu jenen gehören, die nur dadurch mit bestimmten Erlebnissen fertig werden, daß Ihnen solche Einfälle kommen, müssen Sie nicht warten – dann haben Sie mehr Einfälle, als Sie Kraft und Lebenszeit haben, sie zu verarbeiten. Was nicht heißt, daß es nicht Zeiten gibt, in denen Ihnen überhaupt kein solcher Einfall kommt. Warum das so ist, weiß ich nicht.

Werden Sie manchmal als Ratgeber angesehen?

Wenn Sie Gedichte veröffentlichen, gewähren Sie einen ziemlichen Einblick in sich selbst. Sie entblößen sich, verringern die innere Entfernung zum anderen, und das kann dazu führen, daß auch er die innere Entfernung zu verringern sucht ...

September 1987

»Herder Korrespondenz«
Freiburg im Breisgau

Das Gespräch führte
Michael Scheuermann

Aber der Schmerz des Menschen, die dauernde Unge-
rechtigkeit, die von der Welt ausgeht, mein Körper und
mein Denken hindern mich daran, mein Haus in die
Sterne zu versetzen.

Federico García Lorca

Damit der Bogen nicht breche, ist die Kunst da.
Friedrich Nietzsche

Herr Kunze, Sie verbrachten 43 Jahre Ihres Lebens in
der DDR, mußten aber die DDR vor 10 Jahren verlas-
sen bzw. wurden von den DDR-Behörden ausgebürgert
und leben seither in der Bundesrepublik. Welche Erfah-
rungen haben Sie auf diesen sehr verschiedenen Statio-
nen geprägt?

Es waren stets Stationen, die einen besonderen Gewinn und
zugleich einen besonderen Verlust markieren. Ich konnte als
Arbeiterkind studieren. Das kommunistische Regime hatte
aber spezielle Pläne mit uns Arbeiterkindern, und so bedeutete die Förderung zugleich, daß wir ideologisch indoktriniert, daß wir belogen und philosophisch wie ethisch fehlge-
leitet wurden, denn nicht das eigene Gewissen, sondern der
Nutzen für die »Sache« wurde zur höchsten Instanz erhoben;
und was der Sache nützt, das bestimmte die Partei. »... Die
Partei, die Partei, die hat immer recht«, haben wir gesungen.
Und: »Denn wer kämpft für das Recht, der hat immer recht«
– und was bedeutet das anderes als: Der Zweck heiligt die Mittel. Als ich das nach und nach zu durchschauen begann, kam
es zu großen Erschütterungen und zu einer lebensbedroh-
lichen Krise.

... Und was bedeutet es für Sie, daß Sie die DDR verlas-
sen mußten?

Was die Station »Ausbürgerung aus der DDR« betrifft, so
habe ich einerseits die Möglichkeit verloren, meine alten und
sehr kranken Eltern wiederzusehen – und das ist furchtbar;
andererseits weiß ich heute, daß ich dreiundvierzig Jahre meines Lebens nicht gewußt habe, was es heißt, ein freier Mensch
zu sein – mit allen Risiken und Möglichkeiten.

Immer wieder waren Kritiker – in Ost und West – Ihre
Wegbegleiter. Da ist Ihr DDR-Kollege Max Walter
Schulz, der Sie Ende der sechziger Jahre auf dem
VI. Deutschen Schriftstellerkongreß scharf kritisierte.

Und da ist Ihr Kollege Wolf Biermann, zu dem Sie sich öffentlich bekannt haben, als er für die DDR-Staatsführung untragbar geworden war. Nach der Verfilmung Ihres Buches Die wunderbaren Jahre *hat er geargwöhnt, daß Sie im Westen »aufs Ewigmenschliche hinprivatisieren«, wenn nicht sich sogar vor den Karren der Konservativen hierzulande spannen ließen. Was haben Sie den Vorwürfen entgegenzuhalten?*

Meine Bücher. Und denjenigen, die keinen Zugang zu ihnen finden, das, was ich außerhalb meiner Bücher sage und im Leben tatsächlich tue oder unterlasse. Aber es wird immer Personen geben, die behaupten, ich sei vorspannbar – jene nämlich, die gehofft hatten, ich sei es für ihre Zwecke. – Lassen Sie mich aber noch etwas dazu sagen, daß Sie Max Walter Schulz und Wolf Biermann in einem Atemzug nennen: Max Walter Schulz scheint im öffentlichen Bewußtsein fast nur noch dadurch zu existieren, daß er mich einmal des »antikommunistischen Individualismus« geziehen hat, und diese Äußerung hatte mit Kritik nichts zu tun, sondern war eine Denunziation. Das Beste, was Wolf Biermann geschrieben hat, gehört zum Besten der zeitgenössischen deutschen Literatur, und wenn er mir auf offener Bühne in die Rippen boxt, betrachte ich selbst das Hämatom noch als kollegiales Ereignis.

Sehen Sie derzeit spezifische Gefahren für die Gesellschaft der Bundesrepublik?

Die eine Gefahr, die ich sehe, ist nicht spezifisch bundesrepublikanisch, sondern betrifft jedes hochentwickelte westliche Land. Dabei bin ich mir bewußt, daß ein profitorientiertes Wirtschaftssystem nur dann funktionieren kann, wenn Profit erzielt wird. Aber es wird Profit gemacht um *jeden* Preis. Es wird Profit gemacht, koste es *im* Menschen, was es wolle, und koste es unsere Lebensgrundlagen – die Bäume, die Ozonschicht usw. – Die andere Gefahr ist insofern spezifischer für die Bundesrepublik, weil sie spezifischer deutsch ist: die Ideologisierung des geistigen Lebens bis ins Unversöhnliche, bis in den Haß, ins Tödliche. Eine Sache wird nicht mehr nach den ihr gemäßen Kriterien beurteilt, sondern nur noch danach, ob sie die eigene Überzeugung bestätigt, oder nach der Brauchbarkeit für die Durchsetzung der eigenen Interessen. Und nicht nur die Sache – auch der einzelne Mensch.

Als »scharf aus der DDR-Wirklichkeit herausgestochene Medaillons« hat Heinrich Böll einmal Ihre Gedichte und Prosastücke bezeichnet. Fehlte Reiner Kunze in der Bundesrepublik – zunächst – der »unsichtbare Sträflingsstreifen« des DDR-Alltags, an dem Sie litten, von dem Sie aber auch zehrten?

Ich schreibe, um mein Leben zu bewältigen, und es muß überall bewältigt werden, wo immer man lebt. Vieles hier ist anders, und niemand wird bestreiten, daß Augen, die im Osten sehen gelernt haben, im Westen manches nicht sofort erkennen (und einiges vielleicht nie erkennen werden). Das hat aber nichts damit zu tun, daß es des »unsichtbaren Sträflingsstreifens« bedürfe, um schreiben zu können. Ist es nicht schlimm genug, daß wir auch hier mit der Lüge leben müssen? Wir müssen nur nicht mitlügen, um zu überleben. Der Zwang, mitzulügen, um zu überleben, war aber noch nie Voraussetzung dafür, daß Literatur entsteht.

Vor kurzem erschien ihr Gedichtband eines jeden einziges leben. *Davor gab es eine »Funkstille«. Gab es besondere Gründe dafür?*

Wenn wir nur den Gedichtband *auf eigene hoffnung* (1981), den Übersetzungsband *wundklee* (1982) und *eines jeden einzigen leben* in Betracht ziehen, so habe ich, seit ich in der Bundesrepublik lebe, in denselben Abständen Bücher publiziert wie früher. Dazwischen liegen aber noch weitere Publikationen. Von einer »Funkstille« kann also keine Rede sein – es sei,

Sie meinen die außerliterarische »Funkstille«. Sie hat sich, da ich keine politischen Schlagzeilen mehr liefere, zum Teil von selbst ergeben, zum Teil habe ich sie mir erkämpft.

»Das gedicht ist verzicht / im leben wie in der sprache«
heißt es in einem Ihrer Verse. Ist damit etwas über die
Voraussetzungen Ihrer Gedichte gesagt? Wie entstehen
die Gedichte Kunzes?

Ein Mann ist im Garten eingeschlummert, und der Dichter (hier Vít Obrtel) sagt von ihm: »Hoffentlich weckt ihn das rotwerden der vogelbeeren nicht.« Das ist ein poetischer Einfall: Zwei weit auseinanderliegende Wirklichkeiten – der Schlaf eines Menschen und das Rotwerden der Vogelbeeren – werden so miteinander verknüpft, daß wir etwas wahrnehmen, das wir sonst nicht wahrgenommen hätten – die Verletzlichkeit dieses Schlafs: Schon das lautlose und als Vorgang nicht einmal wahrnehmbare Rotwerden der Vogelbeeren könnte ihn gefährden. Ich sagte, zwei Wirklichkeiten »werden miteinander verknüpft«, richtig wäre, »verknüpfen sich miteinander«. Denn dieser Prozeß vollzieht sich unbewußt …

Von Glocken, Orgeln und Kirchtürmen ist in Ihren Ge-
dichten immer wieder die Rede. Als ob diese Gebilde
Ausfallstraßen aus hermetisch abgedichteten ideologi-
schen Glasglocken wären und den authentischen Le-
bensvollzügen des Menschen Bahn brächen. Was hat Sie
dazu bewogen, Kirchenrequisiten zu »verdichten«? Was
bewegt Sie immer wieder, auf den kirchlichen Festtags-
kalender zurückzugreifen?

Ich hoffe sehr, daß ich nie Kirchenrequisiten verdichtet habe. Der Ton der Glocken aber ist in der Luft, die wir atmen. Und: Wäre die Silhouette von Lübeck die Silhouette von Lübeck ohne ihre sieben Kirchtürme? Oder kann ich von Bach reden, ohne irgendwann einmal von der Orgel zu sprechen? Und was den Kalender betrifft: ist bei unserer Zeitrechnung *nach Chri-*

sti Geburt der Jahresablauf ohne die kirchlichen Feiertage überhaupt vorstellbar? Versuchen Sie einmal, die kirchlichen Feiertage zu verbieten oder umzubenennen – der Karfreitag wird Karfreitag heißen und der Ostermontag Ostermontag (ich weiß, wovon ich spreche, denn in der Tschechoslowakei sind beide Feiertage abgeschafft). Glocken, Orgeln, Kirchtürme, Karfreitag und Ostern gehen erst einmal deshalb ins Gedicht ein, weil sie Wirklichkeit sind. Selbstverständlich sind sie außerdem Symbole – aber selbst wenn ich sage, der Hahn kräht, um Gott zu wecken, damit er die Falltür öffne über dem Tal (*An der donau im nebel*), so läßt sich daraus weder ein Glaubensbekenntnis ableiten noch ein Sakrileg. Es ist die Bildwelt, in der ich denke, in der ich lebe – in der wir alle mehr oder weniger aufgewachsen sind.

Aber es gibt Schriftsteller, die darauf nicht Bezug nehmen. Es gab in jüngster Zeit ein Symposium Literatur und Theologie, *auf dem die anwesenden Dichter ihre Scheu äußerten, sich auf diese – wie sie sagten – »überkommene Tradition« einzulassen. Sie, Herr Kunze, gebrauchen diese Dinge beinahe selbstverständlich.*

Ich kann den Einfluß der Luther-Bibel weder aus der deutschen Sprache noch aus meinem Bilddenken eliminieren. Und warum sollte ich das auch wollen. Der Bildhauer Hans Wimmer sagt, fruchtbar sei nur die Kraft, die aus der Tiefe der vergangenen Bemühungen in die Hand strömt.

Wie sind Ihre Erfahrungen mit den christlichen Kirchen hüben und drüben?

Für diejenigen, die von selbständigem Denken nicht lassen wollten, waren drüben die Kirchen der letzte Freiraum – zumindest in den siebziger Jahren. Hier, in der Bundesrepublik, habe ich kaum Erfahrungen mit der Kirche als Kirche. Aber ich kenne viele religiöse Menschen, denn wir leben in einer katholischen Gegend, in der Gegend von Passau, und da habe ich die Erfahrung gemacht: Diejenigen, die am tiefsten glauben, sind die tolerantesten und nachsichtigsten.

Spielten Religion und Glaube in Ihrem Leben einmal eine Rolle?

Als die Religion und der Glaube anderer – immer. Und denken Sie bitte auch nicht, ich würde den Segen, der vom Glauben ausgehen kann, unterschätzen ...

Was meinen Sie damit?

Das Gefühl existentieller Geborgenheit. Vor allem aber: die Hoffnung auf Auferstehung, die den Tod vor allem derer zu ertragen hilft, die man liebt. »Aber Hoffnung muß sein bei den Lebenden«, sagt Kleist ... Also: Ich achte den Glauben anderer, mir selbst aber ist Gotteserfahrung bis heute nicht zuteil geworden. Sollten Sie allerdings darin, daß ich für jedes Erwachen dankbar bin, auch wenn ich nicht weiß, wem, ein religiöses Empfinden erblicken, so habe ich nichts dagegen einzuwenden. Das wäre dann Religiosität im Sinne Oswald Spenglers, der sagt: »Jede Seele hat Religion. Das ist nur ein anderes Wort für ihr Dasein.« Gläubigkeit im engeren Sinn hat bei mir jedoch nur in der Kindheit eine Rolle gespielt, und auch da nur zu bestimmten Zeiten. Der Religionsunterricht ist, was den Glauben betrifft, ebenso spurlos an mir vorübergegangen wie mein Sopran-Debüt im Kirchenchor.

Sie erfuhren keine religiöse Prägung in Ihrer Herkunft?

Mein Großvater, ein Steinkohlenbergmann, der über vierzig Jahre unter Tage gearbeitet hat, war ein gläubiger Mensch, und ich habe ihn geliebt. Ich habe ihn nie in die Kirche gehen sehen, aber ich sehe ihn noch heute am Fenster sitzen und pfeiferauchend die Bibel lesen. Der Himmel war für ihn ein Geheimnis, das ihn überwältigte und dem er sich demütig zu nähern suchte. Ein »Sonnenstrahl auf dem Brot« konnte ihn mit Dankbarkeit erfüllen (an vielen Tagen seines Lebens hat er die Sonne nicht gesehen; zu seiner Zeit arbeitete man noch zwölf

Stunden – auch unter Tage). Einmal, als er mich zum Kühehüten mitgenommen hatte – wie groß ich damals gewesen bin, ist daran zu erkennen, daß ich mich, um mich zu wärmen, in die Hautfalte zwischen Euter und Oberschenkel der Kuh stellte –, versetzte ich einer Kuh einen Stockschlag. Mein Großvater sprach damals auf mich ein, als hätte ich etwas Unverzeihliches getan. »Du mußt mit ihr reden«, sagte er. Vielleicht sprach in diesem Augenblick der heilige Franziskus aus ihm. Er lebte die Bibel, wie er sie verstand ... Aber ich entsinne mich auch, daß mir als Kind eine Frau ein Buch in die Hand drückte, in dem alle nur denkbaren Martern der Hölle abgebildet waren – ein teuflisches Buch, vor dem sich meine lodernde Kinderseele zuletzt nur noch durch den Gedanken retten konnte: Das gibt es doch gar nicht! Ich weiß das noch sehr genau – ich hatte Wochen der Höllenangst verbracht, und eines Tages erlöste mich dieser Gedanke. Vielleicht verließen mich an diesem Tag mit dem Teufel auch die Engel.

Auch in Zeiten zunehmender Pressionen hat die Religion nie eine Rolle gespielt?

Weder in Zeiten zunehmender Pressionen noch in Zeiten zunehmender Depressionen.

Aber in bischöflichen Hirtenworten und auch in Religionsbüchern taucht ab und an eines Ihrer Gedichte auf. Reiner Kunze ist nicht nur ein Lesebuch-Klassiker, sondern auch einer, auf den sich Prediger und Religionspädagogen besinnen. Wie beurteilen Sie diese Indienstnahme Ihrer Texte?

Wenn man das poetische Bild nicht auf den Begriff zu bringen sucht, sondern in Beziehung zu religiösen Überlegungen setzt, so wüßte ich nicht, was ich dagegen haben sollte. Selbstverständlich sollte niemand, der seine Gedanken an ein Gedicht anlehnt, behaupten: Das wollte uns der Dichter damit sagen. Das, was der Dichter sagen wollte, ist das Gedicht.

*Warum, meinen Sie, leeren sich in beiden deutschen
Staaten die Kirchen?*

Meine Erfahrungen mit jüngeren Menschen besagen, es besteht eine große Skepsis gegenüber *Gott als Antwort auf alles.*
Mich zu Ihrer Frage ausführlicher äußern zu wollen, wäre
aber, glaube ich, anmaßend.

*In einem Ihrer neuen Gedichte sprechen Sie von dem
Vorhandensein »kleiner tode« und »kleiner mörder«,
die nicht wenigen Zeitgenossen zu Lebzeiten schon den
Geschmack des endgültigen Exitus vermitteln oder sie
gar dazu treiben, Hand an sich zu legen. Wo und wann
war der Mensch Reiner Kunze Opfer solcher »kleinen
mörder«? Wie und womit ist er ihnen gegenübergetreten? Und wodurch hat er bestanden?*

Erlauben Sie, daß ich abwinke? Und was das Weiterleben betrifft: Man hat mir noch nicht die Freude morden können, aus
der heraus ich lebe, und es wird auch schwer sein, sie mir ganz
zu nehmen – zumindest so lange, wie meine Frau lebt. Aber
was wissen wir, wer wir morgen sein werden.

*Sie sagten, Gotteserfahrung sei Ihnen bisher nicht zuteil
geworden, und in Ihren Gedichten finden sich auch Anklänge an die Absurdität menschlicher Existenz. »Und
noch dann betrügen wir uns selbst, wenn wir sagen: /
auge in auge mit dem nichts // Das nichts blickt nicht //
Wir sind nichterblickte«, heißt es in einem Text neueren
Datums. Wie gehen diese Zeilen mit der Hoffnung zusammen? Haben Sie eine absurde Weltsicht? Wer ist dafür Ihr philosophischer Gewährsmann?*

Mein philosophischer Gewährsmann ist Albert Camus, und
meine absurde Weltsicht geht mit der Hoffnung zusammen,
wie die von Ihnen zitierten Verse mit den beiden Zeilen zusammengehen, die Sie ausgelassen haben: »Wir sind nichterblickte // Und nicht angeblickte, blicken wir nicht / einander an.«

Ist es dieses Anblicken und Angeblicktwerden, das Ihnen die Kraft gibt zu hoffen und das von daher auch Ihre Dichtung stark bestimmt?

Ja, aber nicht nur in diesem direkten Sinn. Wenn ich Franz Liszts *Bénédiction de Dieu dans la solitude* höre oder eine Wiese von Klimt betrachte, fühle ich mich auch angeblickt. Oder: als ich noch in der DDR lebte, erhielt ich für eine Nacht Camus' *Der Mythos von Sisyphos* geliehen – unter dem Siegel der Verschwiegenheit, denn es war ein »West-Buch«, das zu verleihen Folgen haben konnte (ich habe es in dieser Nacht mit der Hand exzerpiert), und auch aus diesem Buch blickte mich ein Mensch an. Es war für mich ein Blick für das ganze Leben. Ich fand meine Weltsicht formuliert: Ich lebe Auge in Auge mit dem Nichts – zumindest reicht meine Erfahrung nicht weiter. Das heißt aber nicht, daß mein Leben keinen Sinn hat. Jeder trägt Verantwortung – für sein eigenes Leben und für das der anderen, und das verpflichtet zu Solidarität.

Verunmöglicht das »Auge in Auge mit dem Nichts« nicht diese Verpflichtung?

Im Gegenteil. Der auf sich selbst Zurückgeworfene ist dem, der auf sich selbst zurückgeworfen ist, die einzige Geborgenheit. Aber er kann sie ihm nur dann sein, wenn er die Kraft und die Disziplin aufbringt, sich auch ohne ihn dem Leben zu stellen. Und das ist eine große Herausforderung – eine, wie ich meine, dem Menschen würdige Herausforderung.

Theologie und zeitgenössische Literatur scheinen weithin aneinander vorbeizuleben. Welche Gründe gibt es für Schriftsteller, heute auf die Sache der Religion aufzumerken? Und warum, auf welche Weise sollte Theologie die zeitgenössische Literatur beachten?

Ich zitiere aus einem Brief vom 11. 3. 1987, den mir ein Pfarrer aus Hannover schrieb: »... wenn ein Theologe sich zum Dichter äußert, sollte ein Dichter sich das einmal anhören. Obige

Sätze habe ich abgeschrieben aus: Hans Weder: Neutestamentliche Hermeneutik. Zürich 1986.« Und in den »obigen Sätzen« heißt es, auch die Lebenserfahrung sei »ein Wort Gottes an uns«. Und weiter: »Und es ist die vornehmste Aufgabe der Dichter, diesem Wort Gottes zur Sprache zu verhelfen. Aber eben, die Lebenserfahrung wird allzu oft in unseren Wörtern und noch mehr in unserem zum Abstrakten eilenden Denken erstickt.« Vielleicht sollten sich das auch manche Theologen anhören. Vielleicht sind die Sprache gewordene Lebenserfahrung und die Neigung zur Abstraktion Gründe genug, zeitgenössische Literatur zur Kenntnis zu nehmen (wenn man sie nicht schon überhaupt zum Leben braucht).

Gibt es auch theologisch bedachte und erwogene Bezirke, deren Betrachtung auch für den zeitgenössischen Schriftsteller von Belang ist?

Die Theologen verhandeln Grundfragen menschlicher Existenz, und wo immer solche Fragen verhandelt werden, sollte der Schriftsteller hinhören. Lassen Sie mich bitte noch einmal zitieren – und zwar aus einem Aufsatz von Max Seckler (er erschien in dem Buch *Das Judentum lebt – ich bin ihm begegnet. Erfahrungen von Christen.* Herausgegeben von Rudolf Walter. Freiburg–Basel–Wien 1985). Max Seckler ist bekanntlich Professor für Fundamentaltheologie in Tübingen. Ich habe lange nichts gelesen, das unsere Zeit mehr beträfe. Er schreibt: »Für uns ist der Dialog, um es mit Schleiermacher zu sagen, ein Sprachprozeß, an dessen Anfang der Streit steht, dessen Ziel und Ende aber die Übereinstimmung in den Ergebnissen ist. Der Dialog verflacht hier zu einer formalisierten dialektischen Methode, am Ende steht das Ergebnis, das möglichst in Form irreformabler Sentenzen festzuhalten und den Geistern aufzuerlegen ist ... ›Überwundene‹ Meinungen werden draußen vor den Mauern bestattet und der Schande und dem Vergessen überlassen ... Die Tendenz zum Totalitären, zur Uniformität der Wahrheitshabe und zur Gleichschaltung der Geister, ist hier strukturell verankert. Aus dieser Sicht war die Inquisition kein Zufall und kein Sündenfall der beteiligten Personen, sondern ein konstruktionsbedingter Effekt. Der Dialogtypus dagegen, der sich in den religiösen Überlieferungen des Judentums entwickelt hat, ist von anderer Art ...«

Inwiefern anderer Art?

Darf ich Max Seckler weiterzitieren ...? »Der Dialog selbst ist die Wahrheit ... In der Mischna, der Grundschrift des Talmuds, die um 200 n. Chr. redaktionell fertiggestellt wurde, fanden die als verbindlich angesehenen Texte Aufnahme. Was geschah mit dem Material, das nicht in die Mischna aufgenommen wurde? Es ging als eine eigene Sammlung in ein Beiwerk ein, ... Als ›Hinzufügung‹ (›Tossefta‹) ... Ernst Simon bemerkt ... ›Die Tossefta stellt das Problem ausdrücklich zur Diskussion. Es heißt dort: Als nach der Zerstörung Jerusalems die Weisen sich in Jahwe wieder zusammengefunden hatten, sagten sie: ‚Die Stunde wird kommen, in der der Mensch ein Wort aus der Überlieferung sucht und es nicht findet.‘ Sie beschlossen, alle Diskussionen zu sammeln und mit den Namen der Tradenten aufzubewahren. Die bindende Entscheidung sollte nach dem Mehrheitsprinzip fallen. Weshalb aber, so fragten sie weiter, sind dann auch die Minoritätsvoten, selbst wenn sie von einem einzigen Gelehrten stammen, aufbewahrt worden? Nach einer Meinung nur, um sie eben durch ihre Erwähnung und Widerlegung außer Kraft zu setzen. Rabbi Jehudu ... widersprach; sie sind aufbewahrt worden, ‚damit man sich auf sie wird stützen können, wenn vielleicht ihre Stunde kommt‘.‹« Hätten wir – nicht nur die Schriftsteller – hätten wir alle doch Ohren, um auf diese warnende Weisheit einer religiösen Tradition zu hören.

6. Dezember 1987

Deutsches Fernsehen / ZDF.
Sonntagsgespräch im ZDF

Das Gespräch führte
Michael Albus

Sein Leben, seine Auflehnung und seine Freiheit so stark wie möglich empfinden – das heißt: so intensiv wie möglich leben.

Albert Camus

Herr Kunze, Sie leben jetzt zehn Jahre in der Bundesrepublik. Fühlen Sie sich hier wohl?

Diese zehn Jahre sind die bisher intensivsten Lebensjahre, die wir gehabt haben, und ohne Zweifel die glücklichsten. Und das wäre kaum möglich, wenn wir uns nicht wohl fühlten.

Gibt es Dinge, die Sie stören an diesem Land und in diesem Land?

... Am meisten vielleicht das Rechts- und Linksdenken. Wir Deutschen kultivieren alles bis zum Haß und verkehren auch die menschlichste Absicht in ihr Gegenteil. Das belastet mich sehr.

Können Sie das auf etwas Konkretes beziehen?

Vor kurzem fand eine Fernsehdiskussion statt ... Es ging um das Thema »Die Macht des Geistes – Intellektuelle in Ost und West«. An dieser Diskussion nahm auch ein sowjetischer Professor teil, und nachdem Namen wie der der Dichterin Irina Ratuschinskaja gefallen waren, sagte dieser Herr, in der Sowjetunion gebe es keinen einzigen politischen Gefangenen, und es habe nie einen gegeben. Da sprang ihm ein Autor aus der Bundesrepublik bei und sagte, er wundere sich, daß man immer über die politischen Häftlinge in der Sowjetunion spreche, man solle doch über die politischen Häftlinge in der Bundesrepublik sprechen. Unsere Terroristen fühlten sich auch als politische Häftlinge, wir sollten die Aufmerksamkeit ihnen zuwenden.

Menschen wie Irina Ratuschinskaja, wie Anatolij Korjagin, der Psychiater, der die Weltöffentlichkeit darauf aufmerksam machte, was in den Psychiatrien der Sowjetunion mit politischen Häftlingen geschah, und dafür zu sieben Jahren Freiheitsentzug mit anschließender Verbannung verurteilt wurde, und die beiden jungen Leute Achmetow und Michalenko, deren Brief in einer sibirischen Holzladung hier von einem Arbeiter in Homberg/Ohm gefunden wurde und die in diesem Brief schreiben: »Wir sind keine Mörder, keine Diebe und keine Notzuchtverbrecher. Wir hatten nur den Mut, über Freiheit, Recht und Demokratie zu reden und zu schreiben« – diese politischen Gefangenen werden Menschen gleichgestellt, die gemordet haben und das zerstören möchten, was für jene ... die einzig reale Hoffnung ist: die wenigen funktionierenden Demokratien. Wenn es diese Demokratien nicht gäbe, wenn es nicht die Macht und den Einfluß dieser Demokratien gäbe, wären die meisten derer, die jetzt frei sind, nicht frei. Das heißt, das Inhumanste ... wird gleichgesetzt mit dem, was jene Menschen in der Sowjetunion tun – mit Humanem.

Dieser Geist, diese Sicht ist typisch für nicht wenige Intellektuelle in der Bundesrepublik. Ich sage nicht, es sei die Mehrheit der Intellektuellen, aber jene »nicht Wenigen« haben nicht wenig Macht, und wenn Sie das nicht mitmachen, wenn Sie sich dagegen wenden, werden Sie in die äußerste Spitze des rechten Winkels gestellt, und man legt ein für allemal die Hypotenuse davor. Das aber ist unerträglich, denn es gibt dann kein Gespräch mehr ... Als hätte das etwas mit Rechts und Links zu tun. Das hat mit dem Menschen zu tun, also mit der Mitte – auch mit der Mitte in uns.

Ich denke, wir kommen noch einmal auf das Thema im Laufe des Gesprächs zurück. Herr Kunze, es hat auch in Ihrem Leben eine Zeit gegeben, in der Sie Hoffnung auf den Sozialismus gesetzt haben. Was hat Sie daran fasziniert?

Damals war ich fast noch ein Kind. Ich bin ein Arbeiterkind und bekam die Möglichkeit, die Oberschule zu besuchen und zu studieren. Ich war dankbar und freute mich, daß Arbeiterkinder diese Möglichkeit bekamen. Daß wir ausersehen waren, alles, was im Namen dieses Staates geschah, zu verteidigen und durchzusetzen, also auch auf das erbärmlichste mitzulügen, das haben wir damals nicht gewußt ...

Und wann kam dann der Punkt? Oder: wo war der
Punkt? War das ein Punkt, oder ist das eine Strecke ge-
wesen? Was hat Sie dazu gebracht, irgendwann einmal
zu sagen: Jetzt nicht mehr, ich kann diesen Staat nicht
tragen, ich kann in diesem System nicht leben.

Das war eine sehr lange Entwicklung, denn es ist ja so: Wenn
Sie ihn als junger Mensch erst einmal mitgetragen haben, suchen Sie nach Rechtfertigungen. Dann sagen Sie: Aber das
kann doch gar nicht sein ... Sie brauchen lange, bis Sie den
eigenen Augen zu trauen lernen.

Suchen Sie heute noch nach Rechtfertigungen?

Nein. Das ist eine Entwicklung, und als ich es begriffen hatte,
habe ich meine Schlüsse gezogen und für sie auch den Kopf
hingehalten.

Zu einem anderen Punkt: Sie sind hoffentlich nicht er-
staunt, wenn ich den Schriftsteller und Dichter Reiner
Kunze frage: Was ist ein Gedicht?

Ich sage Ihnen ein Gedicht des tschechischen Dichters Jan
Skácel – einen Vierzeiler:

> die laubigen laubfrösche bitten laut
> (der morgen stellt sich häufig taub und blind)
> mit laub auf den stimmen mit zungen betaut
> für alle die im herzen barfuß sind

Im Herzen barfuß?
Barfuß ist ein Zustand der Füße. Was hat das mit dem Herzen zu tun? Ist das nicht widersinnig? Wir stocken. Nie
gehört, nie gedacht. Man ist dieser Wendung noch nie begegnet.
Im Herzen barfuß sein ... Der Erde am nächsten ist man mit
den Füßen. Im *Herzen* barfuß sein ... Die Erde spürt man nie
direkter und sinnlicher, als wenn man barfuß ist. Man spürt
das Gras nie so sehr als Gras, den Tau nie so sehr als Tau und

die Steine nie so sehr als Steine, als wenn man mit bloßen Füßen darübergeht. Im Herzen *barfuß* sein.

Barfuß ist man verletzlicher als mit dem Fuß im Schuh. Im Herzen barfuß sein ... Barfuß kann man weniger verletzen als mit dem Fuß im Schuh oder – im Stiefel. Im Herzen barfuß sein.

Eine Unzahl von Assoziationen drängt sich auf. Die Faszination des nie Gehörten, des einerseits Paradoxen, andererseits aber Neuartigen, läßt uns zu Entdeckungen in uns selbst aufbrechen. Das ist Poesie (meines Erachtens große). Das ist ein Gedicht.

Sie haben Gedichte geschrieben, denen man den Ausdruck »Fingerspitzengedichte« geben kann. Ich habe den Eindruck: Da wird Sprache mit der Pinzette gehandhabt. Ich frage mich manchmal, wenn ich Ihre Gedichte lese, woher Sie eigentlich Ihre Erfahrungen beziehen, Ihre Lebenserfahrungen, die primären Erfahrungen, die sich in diesen Gedichten verdichten?

Ich werde oft gefragt: Können Sie in der Bundesrepublik überhaupt noch dichten, wo Sie doch gar nicht diesen politischen Druck mehr haben, den Sie drüben hatten?! – Noch nie war politischer Druck eine unabdingbare Voraussetzung für ein Kunstwerk. Unabdingbare Voraussetzung für ein Kunstwerk sind nur zwei Gegebenheiten: Leben und ein Künstler. Und Leben haben wir hier doch nun genug. Meine Frau und ich, wir sind manchmal kaum noch in der Lage zu bewältigen, was an Leben auf uns eindringt ... Man hat ja Augen und Ohren ... Was ich aus Gesprächen mit Menschen erfahre oder was täglich an Briefen kommt – vor allem von jungen Leuten ... Meine Frau ist Ärztin ... An einem mangelt es bestimmt nicht: an Aufregung und Stoff.

Nun gehen Sie mit der Sprache um, sie ist Ihr Arbeitsinstrument. Wie empfinden Sie sich als Schriftsteller, als

Dichter in einem Umfeld, in dem die Sprache eher als
Waffe denn als Mittel der Verständigung benutzt wird?
Ich denke an manche öffentliche Debatten.

Sprache ist für mich eine Frage des Denkens, vielleicht sogar des Seins – also die Frage, ob ich all mein Denken darauf richte, einen Sachverhalt so zu erkennen, wie er ist, ohne mich darum zu kümmern, ob die Erkenntnis mir recht gibt oder nicht. Ich frage zuerst also danach, ob ich meine Absicht an der Einsicht orientiere oder die Einsicht an der Absicht, oder – um es anders zu sagen – ob ich um einer »guten Sache« willen denke oder mich einzig bemühe, richtig zu denken, um herauszubekommen, ob die Sache gut ist. An der Sprache kann man dann selbstverständlich ablesen, was für ein Denken zugrunde liegt. Aber es hat für mich wenig Sinn, über den Sprachgebrauch zu reden, es geht um den Gebrauch des Verstandes.

Ich will es an einem Beispiel klarmachen: In einem Buch eines bundesrepublikanischen Autors, dessen Domäne das politische Buch ist, heißt es, ihm und anderen seien in der DDR der Rang und die Behandlung von Staatsgästen zuteil geworden, und er hebt die »freundlich grüßenden DDR-Grenzorgane« hervor. Er übernimmt aus dem Sprachgebrauch derer, die ihm den Rang und die Behandlung eines Staatsgastes zuteil werden ließen, den Begriff »DDR-Staatsorgane« für einzelne Menschen. In der Staatswissenschaft kann man davon sprechen, daß die Polizei ein Organ des Staates ist, aber man kann doch nicht einzelne Menschen als »Organe« bezeichnen. Der Mensch reduziert auf ein Organ! Der Mensch ist ein freundlich grüßendes Organ des Staates! Seien wir ganz großzügig und nehmen wir das Sinnesorgan »Auge« – der Mensch, das Auge des Staates. Wenn der Staat also mit zwei Augen blicken will, müssen es immer zwei Menschen sein – ein Doppelposten.

Man sieht daran, wie genau Sie mit der Sprache umgehen. Ich habe es mit dem Bild zu sagen versucht: ... mit der Pinzette. – Herr Kunze, manche werfen Ihnen vor, daß Sie sich nach der Übersiedlung in die Bundesrepublik sehr schnell auf die Seite der rechten Parteien geschlagen hätten, nachdem Sie vorher genauso stramm auf der linken, auf der anderen Seite gewesen wären.

Stramm – als ganz junger Mensch gewiß, und da nehme ich es mir heute nicht mehr übel, es tut mir nur sehr leid. Wenn man in Internaten erzogen und indoktriniert wird, kann man als junger Mensch so werden. Hier liegt die erste Verleumdung, denn ich habe drüben während fast zweier Jahrzehnte bewiesen, daß ich, wenn ich zur Einsicht gekommen bin, dafür geradestehe. So viel zum angeblich schnellen Wechsel der Fronten. Die Behauptung, ich hätte mich auf die Seite der »rechten Parteien« geschlagen, ist die zweite Verleumdung. (Übrigens: Was heißt hier »rechts«? Kann man Volksparteien wie CDU und CSU als »rechte« Parteien bezeichnen? Oder ist die FDP eine »rechte« Partei? Außer zu Vertretern dieser Parteien und der SPD habe ich jedoch keinerlei Kontakte, und ausschlaggebend ist für mich, daß diese Parteien *demokratische* Parteien sind.[*]) ... Ich habe mich einmal fast bis zum Selbstmord durch eine Partei hindurchdenken müssen, und ich werde mich nie wieder einer Partei unterwerfen ... Als ob jemand, der etwas bewahren möchte, rechts, und jemand, der etwas verändern möchte, links sein müßte! Man soll doch sehen: *Was* will er verändern, *was* will er bewahren? Und dann wird ein vernünftig denkender Mensch diese Kategorisierung ablehnen.

Das ist genau der Punkt. So laufen viele öffentliche Debatten bei uns ab. Es kommt sofort das Kästchen ...

[*] Siehe Anm. am Schluß

Herr Kunze, es gibt ein Gedicht von Ihnen, das mich zu einer sehr persönlichen Frage veranlaßt. Ich will es vorlesen, es ist kurz:

MÖGLICHKEIT, EINEN SINN ZU FINDEN

*Durch die risse des glaubens schimmert
das nichts*

*Doch schon der kiesel
nimmt die wärme an
der hand*

Was können Sie eigentlich einem Menschen sagen, ich kenne solche Menschen, denen nur noch das Nichts schimmert und die keine wärmende Hand verspüren, die nicht verspüren, daß es einen Sinn hat zu leben und daß es Hoffnung gibt?

Sagen könnte ich ihnen gar nichts, auch kaum helfen ... Helfen könnte ich ihnen bestenfalls nur dann, wenn ich mit ihnen zusammenleben könnte, aber man kann nicht viele Menschen in sein eigenes Leben einbinden – das ist einfach nicht möglich ...

Ich denke, daß es auch auf manche Fragen gar keine Antwort gibt im wörtlichen Sinne, und viele Ihrer Gedichte wollen in diesem Sinne gar keine Antworten sein.

Ich schreibe überhaupt nicht, um zu antworten, bestenfalls, um zu fragen.

Wollen Sie eigentlich – wir haben ein paarmal jetzt davon gesprochen – gern wieder in Ihre Heimat zurück?

Ein Schriftsteller kann nirgendwo mehr zu Hause sein als dort, wo seine Gedichte in den Lesebüchern stehen oder wo auch nur ein einziger fremder Mensch sie mit der Hand abschreibt, und deshalb bin ich in der Bundesrepublik zu Hause und in der DDR.

9. Februar 1988

Deutsches Fernsehen / ARD
Report Baden-Baden

*Das Gespräch führte
Franz Alt*

Wie ist es möglich, daß die Staatsmacht auf Dauer so über ihre Bürger verfügen kann? Hinter der äußeren Abgrenzung wird – so meine ich – als ihr eigentlicher Grund die innere Abgrenzung unseres Machtsystems von denen, die es regiert, sichtbar ... Ihre Vollzugsorgane sind vielfältig. Sie grenzen unser öffentlich-gesellschaftliches Leben ab gegen nicht genehmigte Informationen, Meinungen, künstlerische Äußerungen, Bestrebungen, Initiativen und verdrängen sie in private Nischen ... Diese erzwungene Doppelexistenz macht uns und die Gesellschaft krank. So gehört zu den Symptomen des Abgrenzungssyndroms Angst, Unselbständigkeit, Entmündigung, Perspektivlosigkeit, Verantwortungsscheu ... Hinter der Abgrenzungspraxis steckt ein Prinzip, wir haben es Abgrenzungsprinzip genannt. Es ist ein Herrschaftsprinzip.

*Dr. Hans Jürgen Fischbeck, Physiker,
Synodaler der Evangelischen Landeskirche
Berlin-Brandenburg, Dresden 1988*

Es ist unglaublich, ... was dieser Staat sich leisten darf.
Franz Fühmann

Herr Kunze, die inhaftierten DDR-Bürgerrechtler ha-
ben Sie, auch andere Schriftsteller, die bei uns leben, um
Hilfe gebeten in diesen Tagen. Nun sind alle aus der
Haft entlassen. Hat das die Solidarität von außen be-
wirkt?

Ohne die öffentliche Solidarität in der DDR, ohne die lautlo-
sen Vermittlungen der Bundesregierung, ohne bestimmte
Dienste der Kirche und ohne die unüberhörbare Solidarität
der internationalen Öffentlichkeit wären die Verhafteten
heute nicht frei.

Graf Lambsdorff war am letzten Freitag bei Erich Ho-
necker und hat danach gesagt, man müsse die Probleme
ruhig und leise lösen. Sind Sie der Meinung, daß leise So-
lidarität allein also nicht ausreicht?

Ich kenne einige sehr kluge Leute, die, sobald es um das psy-
chologische Kalkül der sowjetisch-kommunistischen Politik
geht, auf groteske Weise versagen, auf groteske oder beängsti-
gende Weise.

... Der DDR-Kulturminister Hoffmann hat in diesen
Tagen im österreichischen Rundfunk gesagt, die DDR
habe noch nie jemand aus dem Land gedrängt. Wie
wirkt eine solche Bemerkung auf Sie?

Als ich 1974 zum Mitglied der Bayerischen Akademie der
Schönen Künste gewählt wurde, hatte ich mit Herrn Hoffmann ein dreieinhalbstündiges Gespräch unter vier Augen ...

Als Sie noch DDR-Bürger waren?

Als ich noch DDR-Bürger war. Auf dem Tisch lag damals das
bei Reclam Leipzig erschienene Buch *Brief mit blauem Siegel,*
und der Minister sagte: Herr Kunze, das, was ich von Ihnen
brauche, sind zehn solcher Bücher. Aber selbstverständlich
müssen Sie die Wahl in die Akademie zurückweisen. – Als Lob
nicht fruchtete, wurde mir eine ganze Reihe Angebote gemacht. Man hätte über eine finanzielle Abfindung sprechen

können – in West-Mark. Man bot mir an, innerhalb von vier Wochen eine Wohnung in Berlin und innerhalb eines Jahres ein Grundstück an einem See zur Verfügung zu stellen. Und so weiter. Als das nichts bewirkte, sagte der Minister, ich sei ein Hysteriker, und als auch das nichts bewirkte, geschah folgendes – und hier möchte ich eine Einfügung machen: Ich glaube, daß Herr Hoffmann nicht von sich aus gehandelt hat, denn mir ist aus seiner nächsten Umgebung mehrmals Hilfe zuteil geworden, für die ich noch heute dankbar bin ... Als also weder der Versuch massiver Bestechung fruchtete noch der unmißverständliche Hinweis, daß ich eigentlich einem Psychiater zugeführt werden müßte, sagte der Minister: Herr Kunze, dann kann Sie auch der Minister für Kultur nicht mehr vor einem Unfall auf der Autobahn bewahren. – Von diesem Tag an habe ich in der DDR die Radkappen meines Autos mit einem feinen Vaselinefilm überzogen, um sofort sehen zu können, ob sich jemand an den Radmuttern zu schaffen gemacht hat, und vor jedem Start habe ich die Motorhaube geöffnet, um nachzuschauen, ob der Splint noch in der Lenkung steckt. Die Experten vom Staatssicherheitsdienst werden wissen, was ich meine.

Herr Kunze, Herr Hoffmann regiert heute noch, und ähnlich Denkende auch noch. Kann sich in der DDR überhaupt etwas ändern, solange solche, ja, verbohrte Ideologen Politik machen?

Ich halte dieses System im Wesen überhaupt nicht für demokratisierbar. Ich sage: im Wesen. Kommunistische Parteien wie die, die jetzt regieren, teilen ihre Macht mit niemandem ... Es gibt natürlich noch zusätzliche Machtversteinerungen.

Erich Honecker und andere DDR-Politiker saßen ja selbst als Opfer früherer Regime im KZ. Sie waren Opfer. Wie erklären Sie sich denn, daß diese früheren Opfer heute selbst Täter sind und ihre Opfer gar nicht mehr sehen können?

Ideologischer Fanatismus hat noch jeden Scheiterhaufen gerechtfertigt. Und dann gibt es die Zyniker, die an das, was sie sagen, längst nicht mehr glauben und die Macht skrupellos ausnutzen – um ihrer eigenen Macht willen. Und es gibt die »Funktionierenden«, die verdrängen müssen, damit sie funktionieren können.

Wenn die Regierenden in der DDR also die Opfer ihrer Politik gar nicht mehr sehen, heißt das, die Solidarität muß jetzt weitergehen, auch wenn die Inhaftierten nun freigekommen sind – sofern das frei ist?

Ich kann mir gut vorstellen, daß mancher, der in irgendeinem Dorf im Vogtland oder in Thüringen seit Jahren auf Ausreise wartet und psychisch zu ersticken droht ...

Wir haben die Bilder ja heute abend in der Tagesschau gesehen.

... daß der sich während der Aktionen für die jungen Leute jetzt in Ost-Berlin sehr einsam vorgekommen ist, sehr verlassen. Ich denke an diejenigen, auf denen die Macht wie ein Alp lastet und die nicht weggehen wollen, oder die aus bestimmten Gründen nie weggehen können, an die Gedemütigten, denen man die Besuchsreise ablehnt und ins Gesicht sagt, daß sie kein Recht auf eine Begründung haben. Und ich denke an alle durch Krankheit und Gebrechlichkeit nicht mehr reisefähigen Eltern, die mit ihren aus dem Staat gedrängten Kindern im selben Land leben und die sie höchstwahrscheinlich nie mehr wiedersehen werden.

Die Politik der SED heißt ja einschüchtern, einsperren und die Wortführer aus dem Lande weisen. Werden dann neue kritische Geister nachwachsen?

Geist stirbt nie aus, und es wird immer Geist geben, der mit Charakter gepaart ist ...

... Vor über zehn Jahren wurden Sie, wurde Biermann, wurde Bahro ausgewiesen. Was hat sich denn gegenüber

damals in der heutigen Protestbewegung in der
DDR ... geändert?

Es ist, glaube ich, etwas Existentielles hinzugekommen. Die jungen Leute lassen sich nicht mehr auf eine imaginäre Zukunft vertrösten. Sie wollen heute leben ...

April 1988

»German Life and Letters«, Oxford

Das Gespräch führte
Peter J. Graves

Ich glaube ihnen, solange sie darüber schreiben, was sie
wissen. Ich höre auf, ihnen zu glauben, wenn sie von
dem schreiben, was *ich* weiß.

Czesław Miłosz

Als 1976 Die wunderbaren Jahre *in der Bundesrepublik veröffentlicht wurden, müssen Sie doch geahnt haben, daß es jetzt keine Zukunft für Sie in der DDR geben konnte. Die Reaktion der DDR-Behörden hat Sie wohl nicht überrascht.*

... Ich habe trotzdem nicht damit gerechnet, aus der DDR wegzugehen. Wir haben das gar nicht für möglich gehalten, auch nicht gewollt. Es ist gesagt worden, dieses Buch sei »gezielt« geschrieben worden, um die DDR verlassen zu können. Wir haben mit keinem Gedanken daran gedacht.

Wann hat es Ihnen eingeleuchtet, daß Sie nicht mehr in der DDR bleiben konnten?

Es ist mir eingeleuchtet worden.

Sie wurden nach Erscheinen der ... Wunderbaren Jahre *ziemlich schikaniert.*

Wenn es nur Schikanen gewesen wären ... Und wenn sie nur mir allein gegolten hätten ... Es ging um die ganze Familie, vor allem ... um unsere Tochter ... Was ich, als wir damals in der Bundesrepublik angekommen waren, im Fernsehen nicht habe sagen können, waren die ganzen Interna. Ich möchte auch jetzt möglichst nicht darüber sprechen. Daß uns dieser »Ausweg« überhaupt ermöglicht worden ist, verdanke ich ... Personen, die noch im Amt sind.

... 1978, ein Jahr nach Ihrer Übersiedlung in die Bundesrepublik, haben Sie in einem Gedicht beteuert: »Auch dies ist mein land // Ich finde den lichtschalter schon / im dunkeln« ...

Das war damals sehr konkret gemeint. Als ich in unserer Wohnung den Schalter bereits im Dunkeln fand, war das für mich ein Zeichen dafür, daß ich auf dem Weg war, mich zu Haus zu fühlen. Jetzt ist es schon so, als hätten wir immer hier gelebt. Das Gefühl der Fremde haben wir nicht.

Aber in einigen Gedichten kommt dennoch zum Vor-

schein, daß Sie sich zumindest im literarischen Leben des Westens doch nicht heimisch fühlen.

... Ich war auch in der DDR nie in irgendeinen Literaturbetrieb integriert, ... und die persönlichen Kontakte zu Schriftstellern, zu Kollegen, waren dort nicht intensiver als hier. Das ist eine Mentalitätsfrage ...

Vielleicht entsteht dadurch Ihr Ruf, etwas unnahbar zu sein. Von Ihnen wird auch gesagt, daß Sie ungern Interviews geben. In beiden Fällen, muß ich hinzufügen, habe ich das Gegenteil erfahren.

Ich weiß nicht, ob diejenigen, die behaupten, daß ich unnahbar bin, je versucht haben, sich zu nähern. Der Eindruck, daß ich nicht gern Interviews gebe, ist insofern richtig, als ich es ablehne, Interviews zu geben zu Themen, über die zu sprechen ich mich nicht kompetent fühle. In den Medien bin ich in den letzten fünf Jahren fast nie nach meiner Arbeit gefragt worden. Es ging nie um Literatur, sondern um Politik ...

Und das lehnen Sie grundsätzlich ab?

Nicht grundsätzlich, auch wenn ich kein Mensch bin, der mediengerecht zu antworten verstünde. Ich würde vor jede Kamera treten, auch zu politischen Fragen, wenn ich meinte, ich habe etwas zu sagen, oder wenn ich sähe, ich kann damit für Menschen, die ich liebe, etwas tun. Was ich meide, ist der Lärm – im direkten und im übertragenen Sinn; und keinesfalls möchte ich dazu beitragen, ihn zu verstärken.

In der DDR war Ihre Rolle als Dichter eine ziemlich deutliche: Sie wollten für sich selbst und für Ihre Leser, wie Sie einmal geschrieben haben, Freiheitsgrade gewinnen »nach innen und außen«, und das war innerhalb einer Gesellschaft, die nicht gerade auf die individuelle Freiheit ausgerichtet ist. Wie sehen Sie nun Ihre Funktion als Dichter im sogenannten freien Westen, wo gewisse Freiheitsgrade, wie Sie selbst ... angedeutet haben, bereits vorhanden sind?

Daß ein Autor Freiheitsgrade nach innen und außen gewinnt, ist eine Folge davon, daß er schreibt, aber ich habe dort nicht *deswegen* geschrieben, und ich schreibe hier nicht *deswegen.* Man schreibt, ... um intensiver zu leben. Aber wenn Sie nur jene eine Folge im Auge haben, dann könnte ich sagen, daß es eine Motivation wäre, die hier bestehenden Freiheitsgrade nicht verspielt sehen zu wollen.

Wo sehen Sie da eine Gefahr?

Darin, daß man sie nicht genug zu schätzen weiß. Es gibt im öffentlichen intellektuellen Leben viele Bemühungen, das, was hier diese Freiheiten garantiert, zu diskreditieren, und das, was man überhaupt nicht kennt, falsch zu bewerten.

Denken Sie da an bestimmte politische Richtungen?

Nein, ich denke an die Verantwortungslosigkeit und das Unverantwortliche, wenn man glaubt zu wissen, was man nicht wissen kann, und wenn man das auch denen gegenüber als allein gültig hinstellt, die auf einem bestimmten Gebiet aus Erfahrung vielleicht etwas mehr wissen.

Hier und da in Ihrem Werk lassen Sie erkennen, daß in dieser Beziehung nicht alle ausgereisten DDR-Schriftsteller Ihre Meinung teilen. In auf eigene hoffnung, zum Beispiel, zitieren Sie das hämische Exilantenwort »Kunze hat sich angepaßt«, und in dem neuen Buch wird der Zwischenfall auf der Akademiesitzung in B. geschildert, wo »einer von dort / einer von hier« sich geweigert haben, Ihnen die Hand zu geben. Haben sich einige Kollegen mit Ihnen zerstritten?

Das hat nicht unbedingt mit denen zu tun, die herübergegangen sind. Ich bin auch kein Mensch, der streitet; ich würde mich zurückziehen.

Aber es scheint doch, daß Sie in gewissen Kreisen eine echte Feindschaft erregen.

Das ist leider möglich.

Worauf führen Sie das zurück?

Ich glaube, ... manche, die hier im intellektuellen Leben die öffentliche Meinung mitbestimmen, haben erwartet, daß ich, wenn ich hierher komme, das sage, was sie selbst sagen. Dazu bin ich aber nicht hierher gekommen. Ich sage das, was ich für verantwortbar halte, und das stimmt oft nicht mit dem überein, was man hören möchte. Das betrifft vor allem Illusionen über den Osten – über die Vertrauenswürdigkeit des dort herrschenden Regimes auf lange Sicht. Über Kollegen äußere ich mich, wenn ich mich äußere, hoffentlich freundlich, und sonst wüßte ich nicht, wessen ich mich schuldig gemacht haben könnte ...

... Ende 1986 ist also eines jeden einziges leben, *der zweite Gedichtband seit Ihrer Übersiedlung, erschienen. Meines Erachtens weist er ein größeres Selbstvertrauen auf als der erste,* auf eigene hoffnung, *aber trotzdem haben Sie ihn mit einem langen, vielleicht etwas defensiven Nachwort versehen, in dem Sie die langwierige Entstehung eines Gedichts ausführlich schildern, fast als hätten Sie ein schlechtes Gewissen, weil Sie ein Gewerbe treiben, das so offensichtlich nicht in die Normen einer Leistungsgesellschaft paßt. Warum haben Sie es für nötig gehalten, Ihre dichterische Tätigkeit auf diese Weise zu rechtfertigen, anstatt es den Gedichten selbst zu überlassen?*

Ich habe es überhaupt nicht für nötig gehalten, meine Arbeit zu rechtfertigen. In dem Jahr, in dem dieser Band erschien, wurde der S. Fischer Verlag hundert Jahre alt, ... und da habe ich ein Nachwort geschrieben, in dem ich deutlich zu machen versuche, was ein Lyriker einem Verlag zumutet: wie lange der

Verlag warten muß, und wie er dann, wenn er mit dem »Produkt« auf dem Markt ist, sehen muß, daß er damit nicht in die roten Zahlen kommt. Das war meine Intention ... Und vielleicht hat noch etwas anderes mitgeschwungen: Ich weiß nicht, wie oft ich nach Lesungen gefragt worden bin, wie ein Gedicht entsteht ...

... In eines jeden einziges leben zitieren Sie den Satz von Camus: »Es herrscht das Absurde, und die Liebe errettet davor.« Wer Ihre Dichtung liest, merkt sehr bald, daß Ihre Beziehung zu Ihrer Frau, Elisabeth, für Sie offensichtlich von entscheidender Bedeutung ist, als Quelle der Hoffnung, des Trostes, ja des Lebenssinns überhaupt. Aber auch die Liebe ist vergänglich, und in manchen Gedichten an Elisabeth schimmert das Bewußtsein, vielleicht die Angst durch, daß eines Tages Ihrer Ehe der Tod ein Ende setzen wird. Überhaupt kommt der Tod in Ihren Gedichten ziemlich häufig vor. Haben Sie Angst davor?

Nein.

Meinen Sie, daß die Unvermeidlichkeit des Todes, die Sie herausstreichen, den Glanz auch der wertvollsten persönlichen Beziehungen verdunkelt?

Nicht verdunkelt, sondern intensiviert. Neulich kam nach einer Lesung ... ein junger Mann zu mir und sagte: Ich verstehe eines nicht, Herr Kunze. Wie können Sie in ein und demselben Gedicht über Liebe und Tod zugleich sprechen? – Er war noch zu jung ...

Manche Kritiker haben Ihnen vorgeworfen, daß Sie immer noch dieselben stilistischen Mittel verwenden, die Sie in der DDR verwendet haben. Man muß ihnen insofern recht geben, als auch heute ein Kunze-Gedicht unverkennbar ist an dem zusammengedrängten Stil und ein Kunze-Gedichtband an den vielen weißen Flächen:

das nennen Sie selbst »eine druckseite mit viel luft«. Wie reagieren Sie auf diese Kritik?

Wenn ich in grundlegend andere gesellschaftliche Verhältnisse komme, habe ich zwar andere Probleme, ich bekomme einen völlig anderen Horizont, bin ganz anderen Einflüssen ausgesetzt, aber ich bin kein anderer geworden und kann nicht aus meiner Haut heraus. Ich kann nur die Bilder Text werden lassen, die mir einfallen, und meine Denkweise ist eben *meine* Denkweise. Ich glaube, viel mehr von Belang wäre es zu fragen: Fällt ihm etwas ein, hat er Bilder, und ist es Poesie, was er schreibt?

... Im Nachwort zum neuen Band bezeichnen Sie sich als einen »autor ... der nur gedichte schreibt«. Früher haben Sie aber auch Prosawerke verfaßt. Haben Sie tatsächlich vor, sich künftig ausschließlich auf Gedichte zu beschränken?

Ich meine, wenn der Text *Fünfzehn* aus den ... *wunderbaren Jahren* beginnt: »Sie trägt einen Rock, den kann man nicht beschreiben, denn schon ein einziges Wort wäre zu lang«, dann ist das metaphorisches Denken. Ich bin also kein Prosaautor, aber ich habe trotzdem ab und zu ein wenig Prosa geschrieben. Im Augenblick bin ich dabei, einen Band Essays zu poetologischen Fragen zu schreiben.

... Man hat den Eindruck, der auch in eines jeden einziges leben mehrmals bestätigt wird, daß Sie sehr langsam arbeiten.

Wenn ich ein Gedicht geschrieben habe, wenn ich überhaupt erst soweit bin, daß ich sagen kann, es ist fertig, lasse ich es Jahre liegen. Wenn es für mich nach zwei, drei Jahren noch stimmt, dann habe ich auch mehr Mut, es zu veröffentlichen. Außerdem ist es immer schwierig, sich auf längere Zeit zu einer intensiven Arbeit zurückzuziehen. Wenn ein Buch von mir erscheint, kann ich den Verlag nicht einfach allein damit lassen. Ich muß ihm helfen, es zumindest so zu verkaufen, daß er mir ein neues Buch gern gönnt und gut druckt. Ich hatte also im letzten halben Jahr achtzig Lesungen, fast hintereinander, und das geht an die physische und psychische Substanz. Für Anfang nächsten Jahres habe ich Einladungen nach Italien und Japan angenommen – es betrifft ja nicht nur den Verlag in Deutschland. Deshalb kann ich nicht sagen, daß ich zwei oder drei Jahre an einem Buch arbeite, sondern ich muß mir die Arbeitszeit »herausbrechen«. Aber ich versage mir zur Zeit jedes Gedicht – das heißt, ich notiere den Einfall und lege ihn weg.

Tun Sie das ungern?

Sehr ungern.

Warum wollen Sie sich denn mit Theorie befassen? Vermutlich nicht, um den Appetit der Germanistik zu stillen?

O, die wird mir höchstens Vorwürfe machen, daß ich es wage, ihr Gelände zu betreten. Nein, das ist eine Frage der Selbstklärung, also daß ich eine bestimmte literarische, poetologische Problematik einmal sauber durchdenke. Es ist für mich auch ein Stück Lebensbewältigung.

Sehen Sie es gern, wenn Ihr Werk zum Gegenstand der akademischen Forschung wird?

Ich sage sofort, und zwar ohne Vorbehalte, ja, wenn der, der sich damit beschäftigt, eine Beziehung dazu hat …

9. September 1988

Südwestfunk Baden-Baden

*Das Gespräch führte
Brita Steinwendtner*

Wer nicht imstande ist – oder daran gehindert wird –, zu sich selbst zu kommen, der kommt auch nicht zu den anderen.

Gerhard Szczesny

Wir sind hier bei Ihnen zu Hause, Herr Kunze, der Blick geht über Wiesen, Waldhügel, die sanfte Biegung der Donau – da möchte man das Gespräch eigentlich mit der Frage nach dem Zuhausesein beginnen, vielleicht auch mit der Wirklichkeit oder der Metapher des »An-der-Grenze-Lebens«. Aber diese Fragen sind ja schon so oft gestellt und von Ihnen beantwortet worden. Worüber man jedoch in den vielen Reiner Kunze-Interviewprotokollen nur peripher Auskunft erhält, ist ein Themenkreis, den man sich als Fragender zu berühren scheut, weil er simplifizierend und unwägbar zugleich ist: die Frage nach den ursprünglichen Schreibmotivationen.

Auf die Frage, wie ich zum Schreiben gekommen bin, habe ich bisher immer geantwortet: Ich weiß es nicht ... Die Veranlagung, zu malen und zu schreiben, hat sich allerdings sehr früh gezeigt ... Ich war als Kind viel allein. Ich hatte an Wangen, Nacken, Armen, Händen und Beinen Ekzem – ein sogenanntes endogenes, von innen kommendes Ekzem, das schrecklich juckte und oft eiterte, weil man als Kind kratzt, und damals gab es weder Antihistaminika noch Antibiotika. Ich habe also zeitweise von Kopf bis Fuß geeitert. Meine Mutter ist eine peinlichst saubere Frau. Es war Krieg, es gab kein Verbandszeug, und wir waren auch arm. Die Binden wurden täglich ausgekocht, täglich gebügelt, und ich weiß nicht, wieviel Binden ich in meiner Kindheit zusammengerollt habe oder beim Zusammenrollen habe halten müssen. Die Eltern der anderen Kinder aber dachten, ich hätte die Krätze, eine parasitäre Hautkrankheit, die übertragbar ist, und verboten ihren Kindern, mit mir zu spielen ... Das ist das eine. Das andere ist, daß ich als Kind immer ausgelacht worden bin. Mit diesem Ekzem konnte ich nicht ins Wasser – das heißt, ich konnte nicht schwimmen. Ich durfte auch nicht auf Bäume klettern oder in der Schule mitturnen, und wenn ich einmal mitturnen konnte, weil Hände und Beine einigermaßen abgeheilt waren, hatte ich Angst vor den Geräten und war immer der letzte. Und niemand wollte mich in seiner Fußballmannschaft haben. Der Lehrer suchte zwei Tormänner aus, die einer um den anderen einen Schüler für ihre Mannschaft auswählen durften. Am Schluß stand ich immer allein auf dem Schulhof, denn niemand wollte mich, und die Mannschaft, die dann mit mir vorliebnehmen mußte, bekam zum Trost den Lehrer, der in der zweiten Halbzeit mitspielte. Und vielleicht noch ein drittes: Die Klasse hat an mir ihre Aggressionen ausgelebt. Ich war der Ängstliche, der Feige, der »Schmutzige« ... Es war eine Art Klassenvergnügen, auf dem Heimweg mit Steinen nach mir zu werfen – vor allem dann, wenn der Lehrer ... einen Aufsatz von mir vor der Klasse vorgelesen hatte. Ich habe nicht nur ungefährliche Kopfwunden gehabt und große Umwege auf mich genommen, um den auflauernden Klassenkameraden zu entgehen. Vielleicht hat das alles dazu beigetragen, daß ich mehr in der Phantasie zu leben begann ... Manches davon ist geblieben. Ich bin heute noch ein Einzelgänger, das heißt, meine Frau und ich, wir sind zu zweit ein Einzelgänger, und an Kopfwunden fehlt es auch nicht.

Und die Angst, ist auch davon etwas geblieben?

Das weiß ich nicht, darüber habe ich nicht nachgedacht. Vielleicht die Verletzbarkeit.

Wie hat die Krankheit dann aufgehört? War es vielleicht eher so, daß sich ein Kummer da Bahn gebrochen hat, oder würden Sie das nicht so sehen?

Über die Entstehung der Krankheit weiß ich nichts. Meine Mutter hat sie sich so erklärt: Als sie schwanger war mit mir, habe sie nichts zu essen gehabt. Mein Vater sei arbeitslos gewesen, und sie habe in dieser Zeit, in diesen neun Monaten, fast nur Kartoffeln, Senf und Salz gegessen. Die Medizin wird das wahrscheinlich anders sehen. Das Ekzem brach im Alter von drei Monaten aus und hat sich mit vierzehn, fünfzehn Jahren dann gegeben, das heißt, es traten nun Allergien auf, Asthma bronchiale usw. Damit aber kann man leben.

Von den traumatischen Kindheitserlebnissen zum späteren Umgang mit der eigenen Kreativität, mit Sprachen, mit Literatur, mit dem Studium der Journalistik – wie waren da die Zusammenhänge?

Das Schreiben war ja viel früher da als das Studium. Ich hatte irrtümlicherweise geglaubt, ein Studium gewählt zu haben, das mit Literatur zusammenhängt, nämlich die Journalistik. Aber dieses Studium, zumindest dort, lenkte ... von der Literatur weg. Nicht das durfte geschrieben werden, was man entdeckte, dachte, fühlte, sondern das, was geeignet war, die vorgegebenen Ideen zu illustrieren.

... Und dieser Weg der Literatur, das Finden einer eigenen Sprache – wie wäre dies für Sie zu definieren?

Sprache ist für mich nicht nur menschliches Kommunikationsmittel, sondern auch Identität, und darüber denken selbst sehr gescheite Leute mitunter zu wenig nach. Im vergangenen Herbst fand in Berlin eine internationale Konferenz zu Problemen des 21. Jahrhunderts statt, und auf dieser Konferenz gab es ein Round-table-Gespräch von »six young leaders«, also von sechs jungen Menschen, von denen man annimmt, daß sie das 21. Jahrhundert einmal an maßgeblicher Stelle mitbestimmen werden. Die Konferenzsprachen waren Deutsch, Französisch und Englisch, und selbstverständlich sprachen die Franzosen Französisch und die Engländer und Amerikaner Englisch. Die Deutsche unter den »six young leaders«, eine sehr kluge junge Frau, Harvard-Absolventin, Assistentin im Vorstand eines der größten deutschen Konzerne, hielt ihre Rede auf Englisch. In meinen Augen bedeutet die Entscheidung, auf einer Konferenz in Deutschland, die der

Feier einer Stadt gilt, die deutsche Hauptstadt war und zum Symbol für das geteilte Deutschland geworden ist, sich als Deutsche oder Deutscher nicht der Muttersprache zu bedienen, eine Art Liebesentzug gegenüber dem eigenen Volk, dem eigenen Land und der eigenen Sprache. Um nicht mißverstanden zu werden: Wenn in einem Saal ein einziger ist, der die Sprache der anderen nicht versteht, sollten sich – wenn es sich irgendwie machen läßt – alle anderen der Sprache jenes einen bedienen. Diese Notwendigkeit hatte jedoch nicht bestanden, denn aus allen drei Sprachen wurde simultan übersetzt.

Ich nehme an, dieses Beispiel scheint Ihnen deswegen beunruhigend, weil es möglicherweise in Ihren Augen symptomatisch ist für den Umgang der Deutschen mit der deutschen Sprache. Was kann oder könnte ein Schriftsteller dagegen tun?

Ich weiß nicht, ob das symptomatisch ist, aber einem solchen Verhalten liegt zumindest ungenügendes Nachdenken darüber zugrunde, was die Sprache für den einzelnen Menschen bedeutet. Der Schriftsteller kann für die Sprache vor allem eines tun: das Wort in seinem ursprünglichen Sinn, in seiner Bildhaftigkeit ins Bewußtsein rufen.

Wenn man dies weiterdenkt, wäre Dichtung nach Ihrem Verständnis unter anderem das Rückführen der Wörter zu ihren Ursprüngen, zu ihrem genuinen Zusammenhang mit der Welt – oder wie würden Sie Dichtung umschreiben?

Lassen Sie mich ein paar Zeilen aus dem Romancero General, der spanischen Volkslied- und Gedichtsammlung, zitieren, die zwischen 1600 und 1605 zusammengestellt wurde (der Dichter des Gedichts, aus dem ich zitiere, ist unbekannt):

Wenn Gott dereinsten mich ruft ...
werd ich von allen mich trennen,
weil sie gehn und mich verlassen:
die leben, zu den Lebenden,
und die Toten bleiben für sich ...
Wir setzen uns dann zusammen,
obwohl nicht am gleichen Tisch ...
Ach, Abwesender, wenn du
noch lebtest, wie würdest du sehn,
wieviel Dinge nicht Dinge sind
sondern nur fliegende Worte ...
Es werden nicht mehr die Hemden,
die Herzen werden gefaltet ...

Wenn Gott ruft, wird das Herz gefaltet – auch das Herz ist nichts anderes als ein Hemd. Etwas so zu sehen, wie es bisher noch nie gesehen worden ist, so daß wir zu staunen beginnen und über das Staunen vielleicht etwas in uns selbst entdecken, das gehört für mich zum Wesen des Poetischen ...

... Ich möchte ganz speziell auf das Jahr 1977 eingehen, ein ganz entscheidendes Jahr. Ich kann mich erinnern, wie Sie nach Salzburg kamen, um den Georg-Trakl-Preis entgegenzunehmen. Sie wohnten damals noch in der DDR und waren belagert von Reportern und Fernseh-kameras ... Ich kann mich sehr gut an Ihr Gesicht erinnern und an die Antworten, die Sie gaben und die zum Großteil aus Pausen bestanden. – Sie haben im selben Jahr noch den Andreas-Gryphius-Preis und den Georg-Büchner-Preis bekommen. Sie sind in den Westen über-siedelt. Ein entscheidendes Jahr. Und nun leben Sie seit elf Jahren im Westen. Wie würden Sie aus dieser Distanz die Existenz des Schriftstellers im Osten Deutschlands mit der im Westen Deutschlands vergleichen?

Hier wie drüben entscheidet nicht das Literarische, ob ich von meinen Büchern leben kann. Drüben ist es die Ideologie, die entscheidet, und hier ist es der Marktwert. Literarische Qualität und Marktwert fallen nicht immer zusammen … Wenn ich hier aber von meinen Büchern nicht leben kann, so kann ich doch einen Verlag für sie finden – den Verlag interessiert nur, ob er Gewinn macht, und sei er auch minimal. Ich kann sogar dann für ein Buch einen Verlag finden, wenn es keinen Gewinn garantiert, die Verlegerin oder der Verleger aber meinen, es sei ein literarisch wichtiges Buch, das man drucken muß. Natürlich setzt das einen wirtschaftlich starken Verlag voraus, der es sich leisten kann, ein solches Buch zu drucken, und es setzt eine Verlegerin oder einen Verleger voraus, denen es nicht allein um Gewinn geht. Ich gebe zu, sie sind selten, aber es gibt sie.

Wenn ich drüben verboten bin, bin ich total verboten. Da wird man mich nicht nur nicht drucken, sondern das von mir Gedruckte wird sofort eliminiert werden. Ich kann nicht einmal aus dem Manuskript vorlesen – das heißt, ich kann es nur dann, wenn andere dazu bereit sind, ein Risiko einzugehen.

Drüben wie hier konnte und kann ich Bücher, die ich zum Arbeiten brauche, kostenlos ausleihen, aber drüben kann ich nicht *jedes* Buch ausleihen, und das ist ein gravierender Unterschied. Hier kann ich journalistisch arbeiten, kann ich lehren – das ist drüben unmöglich, wenn man »verboten« ist. Mit Ausnahme der sozialistischen Länder kann ich von hier aus fast jedes Land der Welt besuchen …

Selbstverständlich gibt es auch hier Versuche ideologischer Manipulation, aber das sind Versuche einzelner Menschen oder politischer Gruppen, die möglicherweise viel Macht haben, aber nicht *die* Macht. Es ist eine Folge der Freiheit, daß hier der einzelne … viel mehr Möglichkeiten hat, dem anderen zu schaden, als in einem Regime, unter dem auch die Infamie organisiert ist. Andererseits hat man hier viel mehr Möglichkeiten, sich Versuchen ideologischer Einflußnahme zu entziehen.

Und lassen Sie mich vielleicht das noch sagen: Drüben wie hier klopfen viele auch derjenigen, die an Literatur interessiert sind, die Literatur nach Politik ab, und wenn sie keine Politik finden, wissen sie mit Literatur nichts anzufangen. Sie begreifen nicht, daß das Gedicht ein *Ding* ist wie ein Stück Brot – nur daß es eine andere Art Hunger stillt.

> *Sie sagten: hier und dort. Aber ich nehme an, das ist nicht so leicht zu trennen. Da gehen die Wurzeln wahrscheinlich noch von hier nach drüben.*

Das ist gar keine Frage ... Aber wir möchten nie wieder zurück. Zu den Eltern und Freunden natürlich schon, aber nicht in ein solches Regime.

> *Und wie groß ist die Gefahr des Sichverlierens, von der Sie in Ihrem letzten Gedichtband* eines jeden einziges leben *sprechen? Ist diese Gefahr größer in einer Situation, die eher zum Glücklichsein neigt, oder würden Sie meinen, eher das Gegenteil sei der Fall?*

Wenn Sie dort bewußt erlebt haben, unter welchem ... Druck ein Mensch stehen kann, dann bringen Sie vielleicht die Voraussetzungen mit, hier eine gewisse Disziplin zu leben ... Auch eine gewisse Askese.

> *Diese Reduktion auf das Wesentliche, wie man das ja auch sehen oder formulieren könnte, hat Ihnen auf ganz andere Weise Wolf Biermann einmal vorgeworfen, indem er sagte, der Rückzug ins Allgemein-Menschliche sei so etwas wie ein Rückzug ins Private. Ich vermute, Sie sehen das nicht so.*

... Unlängst schrieb mir ein junger Mann aus dem Schwäbischen, er habe eine Kneipe aufgemacht, sei also ausgestiegen, da er nicht so leben wolle wie sein Vater, den das kapitalistische System ruiniert habe. Sein Vater habe bei Mercedes siebenundzwanzig Jahre am Fließband gearbeitet und sei durch diese Arbeit physisch und psychisch ruiniert worden. Er, der Sohn, werde sich deshalb für die Zerstörung dieses kapitalistischen Systems einsetzen. Ich habe mir die Zeit genommen, diesem jungen Mann zu antworten, und ihm klarzumachen versucht, daß siebenundzwanzig Jahre Fließbandarbeit im Sozialismus mindestens dieselbe ruinöse Wirkung gehabt hätten wie im Kapitalismus und daß sich sein Vater in diesen siebenundzwanzig Jahren Sozialismus garantiert nicht das hätte leisten können, was er sich hier leisten konnte (von privaten Umständen abgesehen, die ich nicht beurteilen kann). Er hätte geistig wie materiell unvergleichlich weniger Möglichkeiten gehabt und viel ärmer gelebt... Was also wäre gewonnen, wenn man, um die Fließbandarbeit abzuschaffen, das einzig funktionierende Wirtschaftssystem vernichtet – und das relativ demokratischste politische System dazu? ... Einen solchen Brief zu schreiben bedeutet für mich, daß ich mich auf den Menschen, auf den einzelnen, konzentriere – mit Rückzug ins Private hat das nichts zu tun.

Ist nicht Ihre gesamte Dichtung eine permanente Aufforderung, nachzudenken, zu differenzieren, Widerstand zu leisten gegen das Gängige? Das ist ja auch politische Arbeit.

Ich danke Ihnen für diese Meinung.

Zum Thema des Politischen: Haben sich Ihre politischen Maximen verändert?

Sie fragen einen Menschen, der in seinem Leben viele Fehler gemacht hat, und das allein hat schon zur Folge, daß sich die politischen Maximen verändern. Ich will versuchen, einige von heute zu nennen: Abstand halten zu Extremen jeder Richtung; Ablehnung gesellschaftlicher Totalentwürfe und der Radikalität, mit der sie meist durchgesetzt werden (also nach der

Devise: Wer nicht mein Freund ist, ist mein Feind, und Feinden wird kein Pardon gegeben); Ablehnung der Idee als Maßstab – Maßstab kann nur die Wirklichkeit sein, und: das, was die Mehrheit der Menschen bedrückt, unablässig zu lindern versuchen. Für mich gehören zum wichtigsten geistigen Potential in der Politik: Offenheit, Toleranz und Skepsis.

> *Stichwort »Skepsis« – da wäre der Sprung zum philosophischen Reiner Kunze nicht weit. Gibt es da große Veränderungen, gibt es da Wandlungen, Weiterentwicklungen?*

Meine Nähe zu Camus ist die gleiche geblieben, aber es hat sich einiges verändert. Darf ich Ihnen ein indisches Märchen erzählen? ... Drei Büßer waren in ihrer Askese so weit fortgeschritten, daß ihre Mäntel, wenn sie sie zum Trocknen aufhängten, in der Luft frei schwebend hängen blieben. Eines Tages, als sie wieder einmal aus dem See gestiegen waren, in dem sie gebadet hatten, und die Mäntel zum Trocknen in der Luft hingen, stieß ein Reiher nieder und fing einen großen Fisch. Da rief der erste der Büßer, dem der Fisch leid tat: Laß ihn los! Laß ihn los!, und der erste Mantel fiel zu Boden; denn der Büßer hatte mit dem Wort gegen die Lebensnotwendigkeit des Reihers verstoßen. Da rief der zweite, der an den Hunger des Reihers dachte: Behalt ihn! Behalt ihn!, und der zweite Mantel fiel zu Boden; denn dieser Büßer war mit dem Wort unbarmherzig gewesen gegenüber dem Fisch. Der dritte Büßer sah, was geschah, und schwieg. Sein Mantel blieb hängen. – Ich verstehe, je älter ich werde, mehr und mehr den dritten Büßer. Es gehört eben auch zum Intellektuellen, glaube ich, daß er schweigt, wo es nichts zu sagen gibt.

> *Wäre die Haltung des Zusehens und Schweigens nicht doch so etwas wie Resignation?*

Halten Sie es, wie Sie wollen – es gibt Unabänderliches, und mit dem müssen wir leben. Es gibt zum Beispiel das Unabhänderliche, daß wir sterben müssen.

Und Ihr Verhältnis zum Tod?

Das Leiden bis zum Tod kann grausam sein. Der Tod selbst ist furchtbar für denjenigen, der übrigbleibt. Und sonst: Ohne den Tod gäbe es weder Kunst noch Philosophie, und in der Seele wären wir noch schlimmere Barbaren, als wir ohnehin schon sind.

Vorhin fiel das Wort »Intellektueller«. Würde sich Reiner Kunze als Intellektueller bezeichnen? Oder, anders gefragt: Muß oder soll der Dichter ein Intellektueller sein?

Das Dasein des Intellektuellen besteht meines Erachtens darin, daß er die Welt auf die grundlegenden Zusammenhänge hin durchdenkt, daß er Grundfragen nach der Existenz stellt, daß er die Welt problematisiert und damit geistige Unruhe stiftet – in anderen Menschen und in sich selbst. Der Intellektuelle schafft also keine Geborgenheit, zumindest nicht primär – im Gegenteil, er stellt Geborgenheit gegebenenfalls in Frage. Er stellt bestimmt die Frage nach der Scheingeborgenheit, und insofern glaube ich schon, daß ein Schriftsteller nicht umhinkann, ein Intellektueller zu sein. Das Nichtgeborgensein in sich selbst bringt natürlich die große Gefahr mit sich, um der Geborgenheit willen eines Tages den Intellekt zu verraten, die Skepsis aufzugeben, die den Intellektuellen auszeichnet, um von einer Autorität beherbergt zu werden, um eine Gemeinschaft zu finden, die einen aufnimmt – und wenn das einem Schriftsteller widerfährt, ist er als Schriftsteller mehr oder weniger tot …

Von der Intellektualität noch einmal zurück zur Poesie, wenn auch nicht zur »reinen Poesie«, die es kaum geben dürfte, da ja beides vielleicht nur unterschiedliche For-

men desselben Bemühens sind. Aber dennoch: Sie sagen in Ihren poetologischen Äußerungen wiederholt, daß sich der poetische Einfall auf hundert, auf tausend Verknüpfungen von Welt stütze. Sind dies nun vor allem die naheliegenden Dinge, die verknüpft werden, oder das ganz Disparate der Welt?

Es sind, zumindest nach meiner Erfahrung, die ganz einfachen Dinge unseres Lebens. Nur die Art, wie sie in der Bildvorstellung, die aus dem Unbewußten kommt, miteinander verknüpft sind – diese Art ist disparat ...

... Ilse Aichinger sagt, ein Großteil der Arbeit des Dichtens sei das Schweigen ...

Dem würde ich schon deshalb zustimmen, weil es Ilse Aichinger sagt, aber diese Erfahrung macht, glaube ich, jeder, der schreibt.

Frühjahr 1989

»Limes«
St. Pölten

Fragen:
Arturo Larcati

Übrigens will ich Ihnen gestehen, daß mein theoretisches Interesse dann erlischt, wenn ich ein Gedicht schreibe.

Hans Magnus Enzensberger

Warum haben Sie in Ihrer Dichtung bevorzugt zu
Kurzformen gegriffen, und welchen Einfluß haben in
diesem Zusammenhang Dichter wie Bertolt Brecht oder
Günter Eich auf Sie gehabt?

Ich habe nicht *gegriffen*, sondern das, was ich schreibe, wird
nicht länger. Günter Eich habe ich, als ich zu schreiben begann, nicht gekannt. Bertolt Brecht hat mich zwar beeinflußt,
aber nicht im Hinblick auf *Kürze*, sondern auf sein paradoxes
Denken. Die wesentlichen Einflüsse – wenn ich selbst das
überhaupt sagen darf – kommen aus der tschechischen Poesie
und aus der Musik, zum Beispiel aus der Musik Mozarts (hier
u. a. auch in bezug auf Kürze – ich denke an seine Missae bre-
ves, die ein Maximum an Ausdruck mit einem Minimum an
Aufwand vereinen).

Meinen Sie mit tschechischer Poesie den tschechischen
Poetismus?

Ich staune, daß Sie nach dem Einfluß des Poetismus fragen –
in Deutschland wissen nur sehr wenige etwas vom Poetismus.
Wenn ich überhaupt begriffen haben sollte, was Poesie ist,
dann verdanke ich es tatsächlich vor allem Autoren des tschechischen Poetismus und Jan Skácel ... Selbstverständlich weiß
ich, daß der Poetismus nicht nur in der tschechischen Tradition, zum Beispiel in der barocken tschechischen Volkspoesie,
wurzelt, sondern auch in der Bildwelt der modernen spanischen und französischen Dichtung.

Viele vergleichen den tschechischen Poetismus mit dem
Surrealismus.

Der Poetismus ist realer, und seine Metaphorik ist eher weh-
mütig, melancholisch und von großer menschlicher Wärme. In
In ihr regiert ein »Lächeln mit verweinten Augen«, wie es in einem Gedicht von Jaroslav Seifert heißt.

Und das war entscheidend für Ihre Auseinandersetzung
mit dem Realismusbegriff?

Ich würde sagen, mit bestimmten Forderungen, die an die Literatur gestellt wurden – Forderungen, die nicht auf ästhetischen, sondern auf ideologischen Kriterien beruhten.

In welchem Verhältnis stehen Ihre Übertragungen zu Ihren eigenen Gedichten?

Das weiß ich nicht. Ich übersetze, wenn etwas sehr schön ist und es mich nicht mehr losläßt.

Ist für Sie eine Übersetzung wie ein eigenes Gedicht?

Sicherlich. In meinem Buch *Das weiße Gedicht*, einem Band mit Essays, … schreibe ich u. a. ausführlich über diese Problematik.

Hat sich an Ihrer Art, Gedichte zu schreiben, nach Ihrer Übersiedlung irgend etwas geändert, parallel zur veränderten Apperzeption der Wirklichkeit? Wenn ja – was?

Wo immer man sein mag – man ändert sich ständig. Aber meine Denkweise ist *meine* Denkweise geblieben. Natürlich hat sich insofern viel geändert, als ich mich hier nicht mehr des ideologischen Drucks erwehren muß wie in der DDR, der viele Erlebnisse, die auch die Qualität gehabt hätten, Texte zu werden, »weggedrückt« hat. In den Vordergrund rücken existentielle Fragen, und die Farb-, die Erlebnisskala zeigt mehr Nuancen … Meine Frau und ich, wir haben dreiundvierzig Jahre unseres Lebens nicht gewußt, was das heißt, ein freier Mensch zu sein (und wir sind heute froh, es nicht gewußt zu haben; denn hätten wir es gewußt und in dem Bewußtsein leben müssen, uns niemals frei äußern zu können, hätten wir vielleicht resigniert). Heute, nach zwölf Jahren hier, kennen wir ein wenig die Risiken und Möglichkeiten – und das geht in die Texte ein und gibt ihnen einen anderen Atem.

Eine gewisse Atmosphäre von Unterdrückung, Angst und Eingeschlossensein in Ihren Gedichten ist seit Ihrer Übersiedlung in die Bundesrepublik Deutschland im

Verschwinden begriffen, vor allem in Ihrem 1986 er-
schienenen Band eines jeden einziges leben. *Es ist be-*
hauptet worden, daß in zimmerlautstärke *die Metapho-*
rik deutlich zugunsten des aphoristischen Stils und der
nüchternen lakonischen Sprache zurücktritt. Auf eigene
hoffnung *räume hingegen aufs neue den Chiffren der*
Bildlichkeit einen wichtigen Platz ein. Ist es gerechtfer-
tigt, in eines jeden einzigen leben *eine Fortsetzung,*
wenn nicht sogar eine Steigerung dieser Tendenz zu
sehen?

Ich glaube schon. Nur stimmt es m. E. nicht, daß in *zimmer-*
lautstärke die Metaphorik zurücktritt ... Nur ist es eine völlig
andere, eine von Bedrückung, von Angst geprägte Metaphorik.

In dem Gedicht Literaturarchiv in M. *sieht Charon den*
Grund für die schlechte Qualität der heutigen Literatur
in der Unfähigkeit des Menschen zu lieben. »Wie die
liebe, so das lied.« Würden Ihre Lieder Eurydike zu-
rückholen?

Wer das von seinen Gedichten zu sagen wagte, sollte zum
Psychiater gehen. Auch impliziert die Feststellung »Wie die
liebe, so das lied« nicht die Behauptung, die Unfähigkeit zu
lieben sei der *Grund* für die schlechte Qualität der Literatur ... Aber daß wir verroht und in unseren Gefühlen oft
sehr oberflächlich sind, stimmt wohl; ebenso wie es stimmt,
daß eine große Poesie von großen und aufrichtigen Gefühlen
lebt.

Sie haben wiederholt gesagt, daß die Wirkung von
Kunst auf die Einzelperson beschränkt sei. Woher neh-
men Sie das Vertrauen, daß Kunst überhaupt etwas be-
wirkt?

Aus der Erfahrung. Aber man soll sich keinen Illusionen hin-
geben, es betrifft immer nur wenige Menschen.

Wie schätzen Sie nach den positiven Äußerungen von US-Präsident Bush die Möglichkeit einer Wiedervereinigung Deutschlands ein, und was würde sie für Sie bedeuten?

Ich sehe im Augenblick keine Möglichkeit, gehöre aber zu denen, die sagen, man soll die Option nicht aufgeben. Ich komme aus dem anderen Teil Deutschlands und habe Menschen dort, die mir nahestehen. Viele Menschen sahen und sehen die einzige Chance, die demokratischen Grundfreiheiten zu erlangen, in einer weltpolitischen Konstellation, die den Bürgern beider deutschen Staaten erlauben könnte, frei darüber abzustimmen, wie sie zusammenleben wollen.

Und wie schätzen Sie die Stellungnahme der Regierung der DDR zu den Ereignissen in China ein?

Als eine Schande. Als eine ähnliche Schande wie die Verleihung eines Ordens in Gold an Ceauşescu.

Ist in der Tatsache, daß Sie sich wiederholt an die Jugend gewandt haben, sei es in Lesungen in der Schule oder sei es mit dem Löwen Leopold *oder den* Wunderbaren Jahren, *eine pädagogische Absicht zu erkennen?*

Nein.

Handelt es sich also um einen persönlichen Bezug?

Ja, und zwar insofern, als ich selbst Kinder habe, d. h. jetzt habe ich schon Enkel, aber damals waren es die Kinder. Ich habe zu den Konflikten, in denen sie standen, und zu den Konflikten in mir selbst schreibend Haltung zu finden versucht ... Das Buch *Die wunderbaren Jahre* hätte auch nicht ein solches Echo gehabt, wenn es aus einer pädagogischen Absicht heraus entstanden wäre ... Nach einer Lesung kamen einmal ein Mädchen und ein Junge zu mir und sagten: »Endlich einer, der *uns* versteht!« Kaum waren sie gegangen, kam eine Mutter und sagte: »Endlich einer, der *uns* versteht!« Vielleicht liegt die Wirkung eben darin. Aber auch das war nicht »beabsichtigt«.

Glauben Sie, daß Ihre Dichtung unter veränderten politischen Verhältnissen anders gelesen werden wird, besonders die Gedichte, die einen punktuellen Bezug haben?

Es wäre ein schlechtes Zeichen, wenn nur der »punktuelle Bezug« von Belang wäre, und nicht die menschliche Substanz … In der DDR, so wurde mir berichtet, interessierten sich die jungen Menschen kaum noch für das Politische in den Gedichten, sondern für das, was diese in ihr Leben einbringen können.

Dieses Beharren auf dem Allgemein-Menschlichen wird Ihnen auch vorgeworfen als eine Zuflucht ins Private, z. B. von Wolf Biermann.

Man muß unterscheiden zwischen dem, was alle Menschen betrifft, und dem Privaten. Wer die Kunst auf der Ebene haben will, auf der Mensch etwas über sich selbst erfährt, flieht nicht ins Private, sondern das Gegenteil ist der Fall. Bei meinem Kollegen Wolf Biermann muß es politisch blitzen und donnern, und das kann er ja auch sehr schön, aber wenn in seinen besten Texten nicht so viel Allgemein-Menschliches wäre, würden sie mit dem Zweck, für den sie gedacht sind, enden. Das tun sie aber nicht. Ich denke an Gedichte wie *Verbittere nicht, du alter Mann* oder an das *Barlach-Lied*.

… oder Deutschland. Ein Wintermärchen.

Ja, das sind große Gedichte

Wie sehen Sie Solschenizyn heute im Gegensatz zu der Zeit, als Sie ihm zwei Ihrer Gedichte gewidmet haben?

Ich bin auch heute noch der Meinung, daß Solschenizyn Epochenmachendes geschrieben hat. Der erste Teil des *Archipel Gulag* ist auch vom Literarischen, vom Künstlerischen, von der Instrumentierung her ein Meisterwerk. Einen solchen Stoff zu ordnen und nacherfahrbar zu machen, ist eine epochale Tat. Daß Solschenizyn bestimmte Theorien entwickelt

hat, denen ich nicht beipflichte, kann mich nicht davon abhalten, ihn für einen ganz großen, mutigen Schriftsteller zu
halten.

*Sie haben auf die Frage, ob Kunst für Sie eine Art Wirk-
lichkeitsbewältigung darstellt, schon positiv geantwortet. Ist Kunst imstande, Dissonanzen zu versöhnen, indem sie sie darstellt?*

Nicht zu versöhnen, aber bewußtzumachen und eine Haltung
zu ihnen gewinnen zu lassen ...

*Der modernen Lyrik wird vorgeworfen, daß sie eine
Tendenz zum Verstummen aufweist, zur Hermetik, zur
Privatsprache, und den Glauben an die Sprache als
Kommunikationsmittel in Frage stellt. Ist Ihnen be-
wußt, daß auch einige Ihrer Gedichte nicht ganz frei
sind von hermetischen, esoterischen Zügen?*

Nein, das ist mir nicht bewußt, und es hat mir auch noch niemand eine Stelle in meinen Texten gezeigt, mit der ich die
Sprache als Kommunikationsmittel in Zweifel zöge.

*Sie kennen diesen Vorwurf in bezug auf die Gedichte
von Paul Celan oder von Ingeborg Bachmann?*

Celan hat eine eigene Bildwelt, er denkt oft in Wortneubildun-
gen, und es bleiben Dunkelheiten in diesen Bildern ... Aber
wir sind nicht mehr gewohnt, Poesie als Poesie zu lesen und
auch die Dunkelheit – oder anders gesagt – das rational Unauf-
lösbare eines Bildes in uns wirken zu lassen. Jan Skácel hat mir
einmal geschrieben, es gebe Schleier, die wir nicht ungestraft
berühren. Ich spreche vom rational Unauflösbaren, nicht von
beabsichtigter Verdunkelung.

*Sie glauben also nicht, daß Dichtung ein elitäres Phäno-
men ist? Sie selbst haben geschrieben »Viel und Dichtung schließen einander aus« ...*

Was hat das mit »elitär« zu tun? Das besagt doch nur, daß der
originäre poetische Einfall, das wirklich bewegende entdecke-

rische dichterische Bild selten ist. Aber auch, wenn es hieße »Viele und Dichtung schließen einander aus«, wäre das nicht elitär. Elitär wäre nur, wenn ich jemanden, der ohne Poesie nicht leben kann, bewußt ausschließen wollte.

Warum glauben Sie, daß nicht alle Menschen in Metaphern denken können?

Ich habe bisher nur das Gegenteil behauptet – in dem Essay *Die poetische Vorstellung – Zur Struktur des dichterischen Bildes und des Poesieerlebnisses* können Sie das nachlesen. Schon das Kind, das seine Hand von der stachligen Wange des Vaters zurückzieht und sagt: »Du bist ein Igel«, denkt metaphorisch. Nur sind es relativ wenige Menschen, die sich über Poesie die Welt aneignen. Warum sollten sie auch, wenn sie sich der Wirklichkeit auf ganz andere Art versichern ...

Wie erklären Sie es sich, daß einige Gedichte plötzlich und sofort treffen und bei anderen die Betroffenheit erst später einsetzt?

Vielleicht hängt das damit zusammen, daß nicht jedes Gedicht eines jeden Dichters in jedem Augenblick für jeden ist.

Warum haben Sie die gemäßigte Kleinschreibung gewählt?

Erstens gab es in den sechziger Jahren eine Diskussion, ob wir Deutschen nicht auch die gemäßigte Kleinschreibung einführen sollten, und da Lyrikleser die bewußtesten Leser sind, habe ich mir gedacht, der Lyriker sollte vorangehen (heute weiß ich, daß es auch einleuchtende Argumente gibt, die Groß- und Kleinschreibung beizubehalten). Zweitens aber kommt die gemäßigte Kleinschreibung meinen winzigen Gedichten sehr entgegen. Ich nehme mir auch die Freiheit, Satzzeichen nur dort zu setzen, wo sie für das Verständnis unbedingt notwendig sind – bei so kurzen Gedichten ist das optisch eine Wohltat.

Haben Ihre Lebensumstände, insbesondere die politischen, Sie zum Schriftsteller gemacht?

Keinesfalls die politischen ... Die Lebensumstände spielen immer eine Rolle – aber sie werden nur dann zum Schreiben hinführen, wenn die Veranlagung dazu gegeben ist. Ich habe als Kind gemalt, Violine gespielt und zu schreiben begonnen, wobei das Malen bis zum Abitur im Vordergrund stand.

In Ihrer ersten Poetikvorlesung, die Sie hier in Salzburg gehalten haben, ist vom kontroversen Begriff der Wahrheit bzw. der Kunstwahrheit die Rede. Können Sie das Problem noch einmal kurz umreißen?

Joachim Kaiser bejaht vorbehaltlos die Frage, ob ein Werk jenseits vom Willen des Autors oder sogar gegen diesen eine eigene Wahrheit hervorbringen kann – Formulierung und Formgebung entwänden sich gleichsam dem Künstler. »Plötzlich gewinnt dann der Gehalt eines Werkes eine Richtung«, schreibt Kaiser, »von der sich der Autor nichts träumen ließ, ja die er vielleicht gar nicht wollte. Die sich in Form niederschlagende objektive Kunstwahrheit drängt dann die subjektive Autorenabsicht beiseite. Das ›Nur-Ästhetische‹ erweist sich nicht nur als Richter, sondern auch als Zu-Richter. Die Form erzwingt Umformung des eigentlich Beabsichtigten.« Das Form-, das Gestaltwerden einer literarischen Figur bedeutet zum Beispiel, daß sie als Individuum zu leben beginnt, und das wiederum heißt, der Autor kann sie nicht wider ihren Charakter führen. Der Autor hat es mit dem Eigenleben seiner Gestalten zu tun. Er ist Gott, denn er hat sie geschaffen, aber er ist *nur* Gott: Einmal zum Leben erweckt, folgen die Geschöpfe den Gesetzen der Schöpfung ...

Sie haben eine besondere Beziehung zu Salzburg. Sie haben dieser Stadt ein Gedicht gewidmet, nachdem Sie gerade in den Westen gekommen waren. War es für Sie ein Augenblick, wo sie zum ersten Mal die Freiheit genossen haben?

Ja. Ich habe von einigen Menschen in dieser Stadt – und einem von ihnen, Hofrat Dr. Peter Krön, ist das Gedicht gewidmet – Überlebens-Solidarität erfahren, und das überträgt sich dann auch auf die Stadt. Abgesehen davon ist Salzburg die Hauptstadt der Musik Mozarts.

Singen Sie wirklich immer die Liebe?

Sie spielen auf ein Gedicht an, das fünfunddreißig Jahre zurückliegt und in dem es heißt: »Ich aber, ich / sänge die liebe.« Damals war ich jung, und mit zwanzig oder fünfundzwanzig schreibt man eben vor allem Liebesgedichte.

Denken Sie, jemals nach Greiz zurückzukehren?

Meine Frau und ich, wir gehören nicht zu denen, die fortwährend ihre Wurzeln auszugraben vermögen. Wir würden auch dann nicht zurückkehren, wenn wir zurückkehren könnten. Abgesehen davon, daß ich dort nicht mehr tun könnte, als ich hier oder von hier aus tun kann, nämlich den einen oder anderen Text zu schreiben, der vielleicht zur Literatur gehört. Und in einem politischen System, wie es jetzt dort existiert, möchten wir nie mehr leben. Das alles heißt nicht, daß ich, wenn ich eingeladen würde, in der DDR zu lesen, nicht auch zu Fuß hingehen würde. Als ich zu Beginn dieses Jahres nach Budapest eingeladen worden bin, sind wir sofort hingefahren. In Polen sind zwei meiner Bücher im Untergrund erschienen, das dritte soll Anfang nächsten Jahres in einem offiziellen Verlag herauskommen. Selbstverständlich haben wir die Einladung nach Warschau angenommen.

13. August 1989

Deutschlandfunk Köln
Interview der Woche

Fragen:
Karl Wilhelm Fricke

Und doch beruhen unsere Hoffnungen, daß die Freiheit letzten Endes nicht durch den gemeinsamen Druck
des Totalitarismus und der allgemeinen Bürokratisie-
rung der Welt zerstört werde, und auch unsere Bereitschaft, sie zu verteidigen, entscheidend auf dem Glauben, daß der Wunsch nach Freiheit, nach souveräner,
individueller Selbstbehauptung in freier Wahl ... in der
Qualität des Menschseins verwurzelt ist.

Leszek Kołakowski

Der 13. August 1961 – für die Deutschen ein historischer Stichtag, eine Zäsur. Was empfindet der Lyriker, Erzähler und Essayist Reiner Kunze, wenn er heute, achtundzwanzig Jahre danach, zurückdenkt? Sie haben ja damals, und zwar in der DDR, miterlebt, wie quer durch Berlin Mauer und Stacheldraht hochgezogen wurden.

Ich empfinde an diesem Tag nichts, das ich nicht auch sonst empfinde. Mauer und Stacheldraht gehen durch mich hindurch. Sie gehen mitten durch unser Leben.

Erich Honecker hat zu Beginn dieses Jahres erklärt, die Mauer werde es auch in fünfzig oder hundert Jahren noch geben, falls die Gründe noch vorhanden wären, die sie notwendig gemacht hätten. Wie denken Sie über diese Voraussage des Mannes, der wesentlich, und zwar damals als Leiter des Einsatzstabes, am Bau der Mauer mitgewirkt hat?

Was heißt denn, die Mauer werde auch noch in fünfzig oder hundert Jahren bestehen, wenn die Gründe bestehenbleiben, die zu ihrer Entstehung geführt haben? Das heißt doch, man hält es für möglich, daß sich auch in fünfzig oder hundert Jahren viele Menschen in der DDR nicht freier, nicht weniger bevormundet und gedemütigt fühlen als heute, daß das Leben auch dann materiell nicht erfreulicher und nicht freudvoller sein wird und daß die demokratischen Länder, die westlichen Länder mit ihrer pluralistischen Demokratie und ihrer Marktwirtschaft, auch in fünfzig oder hundert Jahren für viele Menschen in der DDR noch die lebenswertere Alternative sein werden. Das ist doch ein – zugegeben ungewolltes – Eingeständnis.

Ein Eingeständnis des eigenen Fiaskos. Im Grunde haben sich die politischen Probleme, die vor achtundzwanzig Jahren die DDR-Kommunisten veranlaßt haben, ihren Machtbereich abzuriegeln, bis heute nicht

gelöst. Die jüngste Ausreisewelle – allein 47000 legale
Übersiedler in sieben Monaten, dazu Fluchtversuche in
wachsender Zahl, Zufluchtnahme in den Bonner Ver-
tretungen in Ost-Berlin, in Budapest, in Prag – das alles
sind doch Symptome einer tiefen Krise. Wo sehen Sie die
Ursachen dieser Krise?

Wer so demonstrativ wie die Regierung der DDR der chinesischen Regierung die Hände küßt, weil diese eine Reformbewe-
gung erstickt hat, darf sich nicht wundern und soll auch die
Schuld nicht bei anderen suchen, wenn einzelne Bürger die Pa-
nik packt ...

Glauben Sie vor dem Hintergrund dessen, was Sie eben
gesagt haben, überhaupt an einen inneren Wandel im
Staat der SED, an die Demokratisierung und Humani-
sierung des DDR-Sozialismus, des Sozialismus in den
Farben der DDR, wie Honeckers neue Losung lautet?

Ministerpräsident Rau soll Gorbatschow, als dieser hier war,
darauf angesprochen haben, daß es in der DDR doch immer
geheißen habe: Von der Sowjetunion lernen, heißt siegen
lernen. Gorbatschow soll etwas gequält gelächelt und geantwortet haben: Auch in der DDR werde sich bald etwas bewegen. Das ist die eine Möglichkeit. Die andere ist, daß diejenigen, die in der Sowjetunion nach Gorbatschow kommen
werden, ... die Regierung der DDR mit dem Lenin-Orden
auszeichnen, weil diese sich so standhaft den Gorbatschow-
schen Reformen verweigert hat.

Sie schließen also, wenn ich Ihre Antwort richtig inter-
pretiere, einen grundsätzlichen Wandel nicht aus? Sie
halten ihn nur nicht für wahrscheinlich?

... Ich glaube eher an die zweite Möglichkeit. Hoffentlich irre
ich mich.

Herr Kunze, der DDR-Kulturminister Hans-Joachim
Hoffmann hat unlängst in West-Berlin gesagt, Schrift-

steller, die die DDR verlassen hätten, könnten jederzeit zurückkommen. Hoffmann wörtlich: »Wir werden nicht nachtragend sein.« Was meinen Sie zu dieser Äußerung? ...

... Erstens: Welche Großmut! Die Unterdrücker verzeihen den Unterdrückten, daß sie unterdrückt worden sind und daß sie noch immer in der DDR unterdrückt werden. Vielleicht ist das sozialistischer Charme. Zweitens: Diese Äußerung ist eine Irreführung der Öffentlichkeit. Als meine Mutter in der DDR im Dezember vergangenen Jahres im Sterben lag, gelang es nicht einmal dem Bundeskanzleramt, für meine Frau und mich die Einreise in die DDR zu erlangen, auch nicht für Stunden ...

... 1976 wurden Sie aus dem DDR-Schriftstellerver-band ausgeschlossen. 1982 sind Sie aus dem Verband deutscher, eigentlich westdeutscher Schriftsteller ausge-treten. Im Grunde waren es verschiedene Konsequen-zen ein und derselben politischen Haltung: Oder ist ein solcher Vergleich abwegig?

Dieser Vergleich ist nicht abwegig. Die damaligen Wortführer des Verbandes deutscher Schriftsteller hatten es ideologisch näher zu den Machthabern in der DDR und in der Tschecho-slowakei als beispielsweise zu Kollegen in der Tschechoslowa-kei, die im Gefängnis saßen.

... Es gibt Kritiker, auch Kollegen, die Ihnen Polarisie-rung vorwerfen. Will Reiner Kunze politisch polarisie-ren?

Für mich gehören zum wesentlichen geistigen Potential Offenheit, Toleranz und Skepsis. Und zu meinen politischen Maximen gehören, Abstand halten zu Extremen jeder Rich-tung und Ablehnung der Idee als Maßstab. Maßstab kann nur die Wirklichkeit sein. Die Wirklichkeit und die Idee von der Wirklichkeit sind mitunter aber weit auseinanderliegende

Pole, und wenn es der Schriftsteller dann mit der Wirklichkeit hält statt mit der Idee, werden manche Ideologen ihn der Absicht bezichtigen zu polarisieren.

Wie Hegel, glaube ich, schon sagte: Wenn sich die Wirklichkeit nicht nach meiner Idee richtet, um so schlimmer für die Wirklichkeit. – Sie haben in den beiden letzten Semestern Vorlesungen über Poetik an den Universitäten München und Würzburg gehalten ... In diesen Vorlesungen haben Sie die zuweilen »gnadenlose Ideologisierung des geistigen Lebens« in der Bundesrepublik beklagt. Ein solches Verdikt erwartet man eher über das geistige Leben in der DDR. Was haben Sie damit gemeint?

Daß auch hier immer mehr und immer ausschließlicher nach ideologischen Gesichtspunkten geurteilt und gehandelt wird und daß das in Deutschland offenbar stets Unversöhnlichkeit bedeutet.

Worauf führen Sie diese Ideologisierung in der Bundesrepublik zurück?

Unter anderem darauf, daß mancher Intellektuelle eher den Intellekt verrät, als sich vom Mythos des Sozialismus zu trennen. Diese Intellektuellen stünden plötzlich ohne existentiellen Halt da und würden von ihresgleichen geächtet werden. Denken macht einsam wie der Tod, hat Ludwig Marcuse gesagt.

... Wir erleben ja gegenwärtig eine tiefe geistige Krise des Kommunismus. Insofern ist es für mich zuweilen geradezu frappierend, daß sich hierzulande Intellektuelle, zumal Schriftsteller, Publizisten, noch immer der sozialistischen Utopie verhaftet wissen. Könnte es sein, daß die Sehnsucht nach der Verwirklichung der Utopie mit einer gewissen Saturiertheit, mit der Befindlichkeit dieser Gesellschaft generell zu tun hat, daß sozusagen die

Chance zur Desillusionierung durch die Realität nicht gegeben war?

Es gibt auch hier allen Grund, darüber nachzudenken, wie man die Gesellschaft voranbringen kann. Es gibt Grund, über mehr Gerechtigkeit nachzudenken, und es gibt Grund, darüber nachzudenken, daß eine Gesellschaft, die in der Wirtschaft profitorientiert ist, nicht Profit machen darf, ... koste es die Umwelt, koste es unsere Lebensgrundlagen ... Aber es fehlen die Relationen. Ich sage es nicht zum ersten Mal: Sie wissen nicht, was sie haben ... Sie wissen es zu ihrem Glück und Unglück so sehr nicht, daß sie außerstande sind, sich in Menschen hineinzuversetzen, die aus völlig anderen Erfahrungen heraus leben.

»Ich bin angekommen«, heißt es in Ihrem Lyrikband auf eigene hoffnung, »auch dies ist mein Land.« Haben Sie, seitdem Sie 1977 Ihre thüringische Heimat aufgegeben haben, aufgeben mußten, speziell Greiz, in Bayern eine neue Heimat gefunden? ...

Ein ganz klares Ja. Wir haben hier wieder Wurzeln geschlagen. Die alte Heimat haben wir selbstverständlich im Stamm und in den Nadeln.

Wie eng ist denn Ihre Beziehung zu Ihrer alten Heimat? Wie wirkt sie sich heute noch auf Ihr literarisches Schaffen aus?

Sie wirkt sich vielleicht so aus, daß Augen, die dort sehen gelernt haben, hier manches nicht sehen, und die andererseits manches hier sehen, das Augen, die hier sehen gelernt haben, nicht, nicht mehr oder noch nicht sehen.

Eine Antwort, über die man lange nachdenken muß ... Eine letzte Frage in diesem Zusammenhang: Reiner Kunze, empfinden Sie die Deutschen trotz vierzigjähriger Zweistaatlichkeit noch als eine Nation – eine Frage, die sich heute, am 13., einmal mehr stellt?

In einem Gedicht, es hat den Titel *In Kanada, an Deutschland denkend*, heißt es: »Bei uns / hat alles einen kern / Selbst der pudel.« Wenn ich dieses Gedicht in Weimar vorlesen könnte, würde man dort, glaube ich, genauso reagieren wie in Frankfurt am Main.

November 1989

»In Celle«, Celle

Fragen:
Volker Probst

Wer ein Kunstwerk in sich aufnimmt, macht denselben
Prozeß durch wie der Künstler, der es hervorbrachte,
nur umgekehrt und unendlich viel rascher.
Friedrich Hebbel

Wie entsteht bei Ihnen ein Gedicht – vom Einfall bis zur endgültigen Fassung?

MEDITIEREN

Was das sei, tochter?

Gegen morgen
noch am schreibtisch sitzen, am hosenbein
einen nachtfalter der
schläft

Und keiner weiß vom anderen

Ich muß bis zum Morgen am Schreibtisch gesessen und den reglosen Nachtfalter an meinem Hosenbein entdeckt haben, das heißt, ich muß etwas erlebt haben, das mich bis gegen Morgen hat grübeln lassen ... Vielleicht hatte mich, um bei diesem Gedicht zu bleiben, die Tochter irgendwann gefragt, was das sei, Meditieren, und ich hatte ihr eine für sie höchst unbefriedigende Antwort geben müssen, so daß das Unbewußte darauf gewartet hatte, die Frage der Tochter mit einem Erlebnis verknüpfen zu können, das zu einer befriedigenderen Antwort hinführt ... Ist es zu dieser Verknüpfung gekommen, und ist sie mir bewußt geworden, kann die Arbeit beginnen. Sie muß nicht in diesem Augenblick beginnen, ich kann den Einfall notieren und den Zettel beiseite legen (und so ist es auch meist). Aber der Einfall wird mir keine Ruhe geben, weil mir das Problem keine Ruhe gibt – das Problem und die Aussicht, es für mich zu lösen oder mit ihm leben zu lernen, werden mich zu dem Einfall zurückkehren lassen. Die Arbeit – sie kann Tage oder Wochen dauern – besteht darin, nicht mehr und nicht weniger wegzulassen, als man braucht, um so genau wie möglich und so einfach zu sein, wie es die Genauigkeit erlaubt.

Ihre Gedichte sind von einer eigentümlichen Kargheit gekennzeichnet, die jeden sprachlichen Ballast abgeworfen hat. Vielfach ist das, was Sie mitteilen wollen, nicht unmittelbar in den Worten selbst enthalten, sondern in den Assoziationen, die sie im Leser evozieren. Uns erinnert dies an die japanische Lyrikform vor allem des Haiku. Auch Ihr Gedicht meditieren *erinnert an* Eines Falters Traum *des chinesischen Philosophen Dschuang Dschou. Haben ostasiatische Kunstformen – etwa der Malerei und der Architektur – auf Sie gewirkt?*

Das Gedicht *meditieren* ist 1969 entstanden – da stand ich gewiß nicht unter dem Einfluß von Haikus. Ich habe Haikus bewußt zu lesen begonnen, *weil* mir wiederholt gesagt worden war, mein Bilddenken könnte durch sie strukturiert worden sein.

Ergibt sich für Sie eine gelebte Einheit von: sprechen, handeln, schreiben? Ist das persönliche Leben nur in einer solchen Einheit überzeugend?

Für mich – ja. Aber es gibt überzeugende Poesie ohne überzeugendes persönliches Leben. Dem betreffenden Menschen, also dem Dichter, würde ich nicht über den Weg trauen – aber ihm fallen herrliche Bilder ein.

Wenn Sie mit einem (Schreib-)Problem nicht weiterkommen, wie motivieren Sie sich gegen diese eigene Schwäche?

Es gibt immer eine Lösung, man muß sie nur finden. Also muß man suchen, einen anderen Weg gibt es nicht. Suchen schließt allerdings ein, warten zu können. Mitunter muß man selbst erst ein anderer werden. »... die Arbeit, die man an den Worten tut ..., um sie einer größtmöglichen Leichtigkeit und Durchlässigkeit anzunähern – diese Arbeit ist nicht nur eine des Kopfes; sie wirkt gewissermaßen auf die Seele, hilft ihr, leichter und lauterer zu werden, so daß Leben und Dichtung, eins um das andere in uns auf eine Verbesserung unser selbst hinwirken und auf eine immer größere Klarheit«, schreibt Philippe Jaccottet. »Man muß offensichtlich seine Schlechtigkeit von sich abtun ... Man muß davon ablassen, um jeden Preis erstaunen zu wollen, oder niederen Rachegefühlen zu frönen, oder gefallen zu wollen, dieser oder jener Sache dienen zu wollen.«

11. April 1990

»Volkswacht«, Gera

Fragen:
Günter Ullmann

Die Geschichte hat keinen Sinn, das ist meine Behauptung. Aber aus dieser Behauptung folgt nicht, daß wir nichts tun können, daß wir der Geschichte der politischen Macht entsetzt zusehen müssen ... Wir können die Geschichte der Machtpolitik deuten vom Standpunkt unseres Kampfes für die offene Gesellschaft, für die Herrschaft der Vernunft, für Gerechtigkeit, Freiheit, Gleichheit, und für die Kontrolle des internationalen Verbrechens. Obwohl die Geschichte keinen Zweck hat, können wir ihr dennoch diese unsere Zwecke auferlegen, und obwohl die Geschichte keinen Sinn hat, können doch wir ihr einen Sinn verleihen.

Karl Popper

Vierzehn Jahre nach Weggang aus der alten Heimat la-sen Sie im Januar wieder in Greiz. Was verbindet Sie mit dieser Stadt?

Fünfzehn Jahre Leben.

Sie wurden in der DDR jahrelang totgeschwiegen, dif-famiert und schließlich aus dem Schriftstellerverband ausgeschlossen. Wie haben Sie all das verkraften kön-nen, und hat sich bei Ihnen jemand entschuldigt?

Ich habe eine selbstlose Frau, und unsere Tochter hat sich auch in den Jahren, in denen sie erst zu sich selbst finden mußte, nie von ihrem Vater distanziert. Und wir hatten und haben Freunde. – Entschuldigungen: Ja, zwei. Aber es bedarf keiner.

... Wie sehen Sie die »DDR-Literatur«, und was ist daran positiv?

Auch in der DDR ist Literatur von Rang entstanden. Erstens gab und gibt es in der DDR Schriftsteller, deren Talent und In-tegrität über jeden Zweifel erhaben sind ... Und es gab und gibt Schriftsteller, deren Talent so bedeutend ist, daß es sie bloßstellt, wenn sie lügen.

Die Mauer ist gefallen. Die ersten demokratischen Wah-len fanden bei uns statt. Gibt es noch eine Zukunft für die DDR?

Ausschlaggebend ist, ob es für die Menschen, die in der DDR leben, eine Zukunft gibt und ob sie dazu eine DDR brauchen. Wenn ich das Wahlergebnis richtig zu lesen verstehe, verneint die Mehrheit den zweiten Teil der Frage.

Der Unterschied zwischen dem reichen Norden und dem armen Süden in der Welt wird immer größer, die Umweltverschmutzung nimmt zu. Sind wir noch zu retten?

Wie auch immer – uns bleibt nichts anderes, als mit der Ret-tung zu beginnen.

Haben Sie sich philosophisch festgelegt? Wie ist Ihr Verhältnis zu Sir Karl Popper?

Ich fand meine Weltsicht bei Camus formuliert, und dabei ist es geblieben. Poppers Methode, sich über den versuchten Gegenbeweis der Wahrheit zu nähern, und seine Philosophie von der »offenen Gesellschaft« stehen dazu nicht im Widerspruch. (Manchen seiner Interviewäußerungen der letzten Zeit kann ich allerdings nicht zustimmen. Mir scheint, er erliegt einer gewissen Altersverklärung.)

3. Oktober 1990

»Passauer Neue Presse«, Passau

Fragen:
Heinrich Gartz

Der Kapitalismus, wie er heute existiert, hat ... unleugbar viele vermeidbare Fehler, die eine intelligente Politik der Freiheit korrigieren sollte. Ein System, das sich auf die spontanen Ordnungskräfte des Marktes verläßt, ist ... keineswegs unvereinbar damit, daß die Regierung außerhalb des Marktes für eine gewisse Sicherheit gegen empfindliche Not sorgt, sobald es einmal ein gewisses Niveau des Reichtums erreicht hat.

Friedrich August von Hayek

*Sie haben als Dichter, der in der ehemaligen DDR auf-
gewachsen ist und jetzt in der Nähe von Passau wohnt,
mit besonderer Sensibilität den Prozeß der Einheit
Deutschlands beobachtet. Begrüßen Sie die Vereinigung, oder sehen Sie in dieser Entwicklung neue Gefahren?*

Vor fast drei Jahrzehnten schrieb ich ein Gedicht, das beginnt:

Nun bin ich dreißig jahre alt
und kenne Deutschland nicht:
die grenzaxt fällt in Deutschland wald.
O land, das auseinanderbricht
im menschen ...

Ich litt an der Grenze, die Deutschland teilte, seit es sie gab,
und wie sehr dieses Land in den Menschen auseinandergebro-
chen ist, erleben wir heute ... Können Sie verstehen, daß ich
die Vereinigung begrüße? – Gefahren? Eine politische Veränderung dieses Ausmaßes ist ohne Gefahren undenkbar. Zum
Beispiel vereinigen sich nicht nur diejenigen, die die Demokratie nicht gefährden werden. Das »sozialistische Potential«
der DDR, das man als »subversives Element« in das vereinte
Deutschland einzubringen gedenkt (wörtliche Formulierung
aus einer Diskussion in der Ost-Berliner Akademie der Künste) wird mit einem nicht zu unterschätzenden ideologischen
Potential bei uns fusionieren, und die nationalsozialistisch-an-
tisemitischen Trupps werden ebenfalls vereint antreten.

*Es gibt viele Unzufriedene, obwohl die so lange vom
SED-Regime eingesperrten Menschen sich jetzt in jeder
Beziehung frei bewegen können und durch die Einfüh-
rung der D-Mark besser gestellt sind als die Nachbarn
in der CSFR und in Polen. Glauben Sie, daß sie mit der
neuen Situation des verschärften Wettbewerbs im Beruf
schon bald fertig werden können?*

Mit der Vereinigung haben die ehemaligen DDR-Bürger das international verbriefte Recht erhalten, im Schutz von Demokratien in einer Demokratie zu leben. Was hätten viele Deutsche vor einem Jahr noch dafür gegeben! Wir haben noch nicht begriffen, was wir in der Einheit erhalten haben, sonst würden nicht so viele ständig betonen, was sie nicht erhalten haben (wobei sie außer acht lassen, daß sie das meiste davon nie hätten erhalten können, weil die Wirklichkeit im Menschen selbst und die ökonomischen Gegebenheiten auf dem Gebiet der ehemaligen DDR nicht so sind). Wir scheinen uns auch kaum bewußtzumachen, daß die Einheit ohne die Zustimmung der Sieger des Zweiten Weltkriegs und unserer Nachbarn nicht zu haben gewesen wäre und die Zustimmung schon morgen nicht mehr von allen zu haben sein könnte, sonst würden sich nicht so viele in einem Lamento über die Schnelligkeit des Vereinigungsprozesses ergehen (ich spreche nicht vom berechtigten Bedauern bestimmter Auswirkungen dieses leider gebotenen Tempos). – Was das Sichbehaupten in der Marktwirtschaft betrifft, so kann man für den Anfang um einen großen Teil von ehemaligen DDR-Bürgern nur bangen. Die einen – oft die am wenigsten bemittelten – schwimmen unseren Haien direkt ins Maul ... Andere sind in den vergangenen Jahrzehnten jeder Initiative und jeder Risikobereitschaft entwöhnt worden oder in einem Maße abgestumpft (man kann es auch »bequem geworden« nennen), daß sie es schwer haben werden mitzuhalten, und wiederum andere gebrauchen den Ellenbogen bereits gnadenloser als mancher einzig auf seinen eigenen Vorteil bedachte Bundesbürger – besonders gegenüber den Schwächsten, den Ausländern. Aber die meisten werden mit der Zeit mit der neuen Situation fertig werden ... Ich kenne eine Reihe von meist jüngeren Leuten, die sich schon jetzt unter Einsatz ihrer ganzen Persönlichkeit ans Werk machen ...

Leider gibt es auch hierzulande viele, die zu keinerlei fi-
nanziellem Opfer für die Einheit bereit sind. Politiker
machen die Milliarden-Kosten zum Wahlkampfthema
und spekulieren auf Mißgunst und Neid. Ist die Diskus-
sion in dieser Form nötig und angebracht? Oder würden
Sie für ein persönliches Opfer plädieren, weil Ihnen die
Einheit und die bessere Zukunft der seit sechzig Jahren
drangsalierten Bevölkerung, wenn man die Hitler-Zeit
dazunimmt, das wert ist?

Deutsche, die noch nicht begriffen haben, was Deutschland
und der Welt durch die Einheit gegeben worden ist, leben gewiß nicht nur auf dem Gebiet der ehemaligen DDR. Man
kann nur hoffen, daß es sehr bald genügend Deutsche sein
werden, die es begreifen, und daß wir genügend schöpferisch,
genügend bescheiden und genügend dankbar sind. Ob ich für
ein persönliches Opfer plädiere? Ich denke, meine Frau und
ich, wir beweisen bereits ein wenig, daß wir diese Frage be-
jahen ...

Sie verfolgen gewiß auch mit Aufmerksamkeit die Dis-
kussion über die Amnestie. Sie selber wurden vom
Staatssicherheitsdienst verfolgt, und Ihnen ist großes
Unrecht geschehen. Würden Sie es gutheißen, daß alle
straffrei ausgehen?

Natürlich nicht. Wer Verbrechen begeht, gehört vor Gericht.
Aber von einer Amnestie für alle war ja auch nicht die Rede.
Um über dieses Problem sprechen zu können, müßte man
wissen, was der letzte Innenminister der ehemaligen DDR
weiß, der zu Beginn seiner Amtszeit bei Gorbatschow war.
Der Staatssicherheitsdienst der DDR dürfte eine der vollkom-
mensten Schöpfungen des sowjetischen Geheimdienstes gewesen sein. Ich halte es nicht für ausgeschlossen, daß zum
Preis für die deutsche Einheit gehört, alles, was auf dem Gebiet der DDR die Interessen des sowjetischen Geheimdienstes

berührt, nicht anzutasten, ihm den geordneten Rückzug zu decken und zu ermöglichen, seine besten Leute aus dem Staatssicherheitsdienst neu zu positionieren. Das wäre eine unsichtbare Mitgift in der deutschen Ehe, bei der mich schaudert, aber die Vermutung, es könnte sie geben, liegt nahe. Andererseits, und auch das sollte man bedenken: Gorbatschow, dessen Realismus wir diese politische Entwicklung letztlich verdanken, war Chef des sowjetischen Geheimdienstes.

Würden Sie es für richtig halten, daß auch die Staatsführung, darunter SED- und DDR-Staatschef Honecker sowie Stasi-Chef Mielke, zur Verantwortung gezogen werden?

Wenn gilt, daß, wer Verbrechen begeht, vor Gericht gehört – wer, wenn nicht sie? Mein eigenes seelisches Befinden würde von der Tatsache, diese Herren rechtskräftig verurteilt zu wissen, jedoch nicht tangiert. Mich treiben keine Rachegefühle um. Was mich tangieren würde, wäre, daß diese Leute (aber nicht nur sie, sondern alle in Staatssicherheit und Partei, die sich schuldig gemacht haben) Gelegenheit bekämen, wieder Macht über andere Menschen auszuüben.

1990

»Leseproben, Lesen proben«
Lesebuch, Hildesheim

Fragen:
Hans-Herbert Wintgens

Das Staunen ist eine Sehnsucht nach Wissen.
                    Thomas von Aquin

Erinnern Sie sich an den Weg, der Sie zur Literatur ge-
führt und zu einem Leser gemacht hat?

Die Bücher selbst haben mich zum Leser gemacht. Vor allem
waren es die Kinder- und Hausmärchen der Brüder Grimm,
die Märchen von Hans Christian Andersen, Selma Lagerlöfs
*Die wunderbare Reise des kleinen Nils Holgerson mit den
Wildgänsen* und die *Dschungelbücher* von Rudyard Kipling ...

Existieren für Sie literarische Vorbilder?

Jeder Schriftsteller hat literarische Vorbilder, aber sie müssen
ihm nicht bewußt sein. In jungen Jahren stand ich wohl unter
dem Einfluß des Volksliedes, der Dichtung des Minnesangs
oder Heinrich Heines. Ich bewundere die großen tschechischen Dichter des zwanzigsten Jahrhunderts, u. a. Jan Skácel,
aber auch die Spanier, z. B. Federico García Lorca, Juan Ramón Jiménez und Antonio Machado. Ernest Hemingways
Der alte Mann und das Meer war für mich eine Offenbarung,
was Prosa schreiben heißt ...

*Sehen Sie für die Rezeption von Literatur einen quali-
tativen Unterschied zwischen »verfilmter Literatur«
(z. B. im Fernsehen) und »gelesener Literatur«?*

Den Unterschied sehe ich vor allem darin, daß der Film das
Bild fertig anbietet, während der Leser es sich selbst schafft.

*Wenn Sie die Möglichkeit erhielten, in dieser Welt wirk-
same Veränderungen vorzunehmen, was wäre davon
betroffen?*

Vor allem das Denken. Würde Bewußtsein, das der Wirklichkeit widerspricht, als falsches Bewußtsein, und Weltsicht, die
durch die Wirklichkeit nicht gedeckt ist, als von dieser nicht gedeckt erkannt werden, stünden die Ideologien nackt da, und
unendlich viel vermeidbares Leid könnte vermieden werden ...

*Wenn junge Menschen Sie nach ihrer Perspektive für die
Zukunft fragen würden, was gäben Sie ihnen zur Antwort?*

Ich würde ihnen vielleicht Albert Camus zitieren: »Die größte Ersparnis, die sich im Bereich des Denkens erzielen läßt, besteht darin, die Nicht-Verstehbarkeit der Welt hinzunehmen und sich um den Menschen zu kümmern.« Und: »Wer ein einziges Mal das Strahlen des Glücks auf dem Gesicht eines geliebten Menschen gesehen hat, weiß, daß es für einen Menschen keine andere Berufung geben kann, als dieses Leuchten auf den ihn umgebenden Gesichtern hervorzurufen.«

September 1991

»Mitteldeutsche Zeitung«, Halle (Saale)
Blick, Ausgabe Nr. 39

Fragen:
Renate Voigt

Weltdurchschauung anstatt Weltanschauung.
Franz Marc

Viele Literaturfreunde in den »neuen Ländern« erfuh-
ren erst aus Ihrem Buch Deckname »Lyrik«, *unter wel-*
chen Bedingungen Sie in der DDR leben und arbeiten
mußten … Sie selbst waren einst Mitglied der SED.
Wann bemerkten Sie den Zwiespalt zwischen Schein
und Sein dieser Partei?

Die ersten Zweifel kamen mir, als ich in der Oberschulzeit
Wahlhelfer sein mußte. In vielen Wahllokalen gab es keine Ka-
binen oder in ihnen keine Bleistifte. Gemeinsam mit anderen
Schülern empörte ich mich gegenüber dem Direktor unserer
Schule, daß die Leute nicht geheim wählen konnten. Er über-
zeugte sich selbst davon, ehe er, ein alter Sozialdemokrat, sich
bei der SED-Kreisleitung beschwerte. Mit dem Erfolg, daß
sein »mangelnder Klassenstandpunkt« gerügt wurde. – Das
waren erste Unsicherheiten, die wirklichen Ernüchterungen
folgten an der Fakultät für Journalistik, als ich erkannte, daß
die Partei, wenn es darum ging, die »Linie« durchzusetzen,
Menschen zerbrach. Es dauerte dann noch eine Zeit, bis es
zum endgültigen Bruch kam. Zunächst suchte ich nach Entschuldigungen – für mich und für das System, das ich damals
für die einzige Möglichkeit hielt, mehr Gerechtigkeit in der
Welt zu schaffen.

Und wann brachen Sie ganz mit ihm?

Das Jahr 1959 war meine Stunde Null. Ich habe die Universität
verlassen und bin Hilfsschlosser geworden. Zwar bin ich noch
Mitglied der SED geblieben, aber das war schon eine taktische
Entscheidung. Ich hätte Menschen, die mir geholfen haben,
existentiell geschadet, wäre ich auch noch demonstrativ aus
der SED ausgetreten. Das habe ich 1968 getan, nach der Nie-
derschlagung des Prager Frühlings. Da war es unumgänglich
geworden.

War es ein konkretes Ereignis, das Ihren inneren Bruch
mit der Partei auslöste?

Nein. Dazu trugen Ereignisse wie Chruschtschows Enthüllungen über den Stalinismus und die blutige Zerschlagung des ungarischen Aufstandes 1956 ebenso bei wie die Hetzjagd, der ich während meiner Lehrtätigkeit ausgesetzt war.

Wieso?

Wenn Sie wissen, daß weder Marx und Engels noch Lenin und Stalin etwas Gescheites über Ästhetik gesagt haben und Sie vier Jahre lang Vorlesungen halten, ohne sie zu zitieren, und wenn Sie auf diesem Gebiet forschen, und alle Resultate sprechen der Ideologie hohn, die Sie lehren sollen, kommen Sie unweigerlich in Teufels Küche. Ich wurde konterrevolutionärer Umtriebe bezichtigt, und was das damals an dieser Fakultät bedeutete, können Sie sich vielleicht vorstellen ...

> *Als Sie Ihre Stasi-Akten lasen, so haben Sie gesagt, seien Sie »in der Seele gealtert«. Jetzt kommt von Ihnen* Wohin der Schlaf sich schlafen legt *auf den Markt, ein Buch, in dessen poesievollen, heiteren Versen aber doch ein gutes Stück »Kinderseele« steckt ...*

Wir alle müssen seit achtzehn Monaten ein politisch hartes Brot kauen. Dabei war die Arbeit an diesem Buch eine Art Überlebenshilfe, und ich hoffe, daß es das auch für die Leser ist.

30. September 1991

Österreichisches Fernsehen, 2. Programm
Jour fixe

Das Gespräch führte
Wolfgang Kraus

Dostojewskis Großinquisitor hat es mit grausamer
Dialektik bewiesen, daß die Mehrzahl der Menschen
die eigene Freiheit eigentlich fürchtet, und tatsächlich
sehnt sich aus Müdigkeit angesichts der erschöpfenden
Vielfalt der Probleme, angesichts der Kompliziertheit
und Verantwortlichkeit des Lebens, die große Masse
nach einer Mechanisierung der Welt durch eine endgül-
tige, eine allgültige, eine definitive Ordnung, die ihr
jedwede Denkarbeit abnimmt.

Stefan Zweig

*Reiner Kunze, Sie waren in letzter Zeit viele Male in
Ostdeutschland, haben dort gelesen und diskutiert, und
Sie waren auch in fremdsprachigen postkommunisti-
schen Ländern. Können Sie mir sagen, welche Rolle die
Schriftsteller und Intellektuellen bei dieser großen Ver-
änderung gespielt haben?*

Im Herbst vergangenen Jahres fand in Wien eine Erich-Fried-
Tagung statt, von der mir berichtet worden ist. Die österreichi-
sche Kulturpolitikerin, die die Teilnehmer begrüßte, sagte
wörtlich: »Mit dem Fall der Mauer hat die Verfolgung der
Schriftsteller und Intellektuellen angefangen.« ... Zum einen
besagt dieser Satz, daß die kritischen Fragen, die jetzt an bestimmte Intellektuelle gestellt werden – seriös und nicht seriös
gestellt werden, und das Nichtseriöse billige ich nicht –, daß
diese kritischen Fragen Verfolgung seien. Das kann nur jemand behaupten, der nie verfolgt worden ist. Und der Satz besagt zum anderen, daß diejenigen, die vor dem Fall der Mauer
verfolgt worden sind, keine Intellektuellen und Schriftsteller
waren oder daß es vorher keine Verfolgung gegeben hat ...
Aber das ist nur die eine Ungeheuerlichkeit. Teilnehmer dieser
Tagung waren u. a. einige der namhaftesten Autorinnen und
Autoren der ehemaligen DDR und der ehemaligen Bundesrepublik Deutschland, sicherlich auch Österreichs, und sie alle
haben zu dieser Behauptung einvernehmlich geschwiegen.
Das ist die zweite Ungeheuerlichkeit. Hier aber haben Sie si-
gnifikant die Rolle, die jene dem Sozialismus verpflichteten
Intellektuellen der ehemaligen DDR und des Westens im Augenblick spielen. Sie ziehen in das sich senkende ideologische
Haus Anker ein. Sie möchten das Experiment Sozialismus
weiterführen. Die vielen Millionen geopferter Menschenleben, Versuchsmenschenleben, schrecken sie nicht ab. Sie halten – ich variiere ein Wort von Horst Domdey und Michael
Rohrwasser – am Verlustschmerz als letzter Einheit fest. Und

189

das unterscheidet sie von vielen maßgebenden Intellektuellen Warschaus, Prags, Budapests oder Bukarests, die aus diesem ideologischen Haus längst ausgezogen sind. Stellen Sie sich die Behauptung, mit dem Fall der Mauer habe die Verfolgung der Schriftsteller und Intellektuellen begonnen, in Gegenwart Václav Havels vor, der bis kurz vor dem Fall der Mauer im Gefängnis saß! Auch wenn er nicht selbst eingesperrt gewesen wäre, hätte er im Namen derer, die verfolgt worden waren, gegen diese Behauptung protestiert.

Diese Erich-Fried-Tagung spielte sich in Abwesenheit sehr vieler österreichischer Schriftsteller ab, die nicht eingeladen waren. Es war ein bestimmter Kreis, der das vertreten hat, was Sie hier wiedergeben, eine bestimmte Richtung, und es sei dahingestellt, ob Erich Fried selbst damit einverstanden gewesen wäre. Er war ja bereits tot, und man gebraucht seinen Namen jetzt in einem Sinn, der keineswegs, wie ich glaube, immer seiner Intention entspricht. Aber Sie sagten, es bestehe ein großer Unterschied zwischen den Intellektuellen in der DDR und im deutschsprachigen Westen auf der einen und maßgebenden Intellektuellen in der Tschechoslowakei, in Ungarn und sogar in Rumänien auf der anderen Seite. Was ist der Grund dafür? Warum sind die deutschen Intellektuellen so anders?

Lassen Sie mich bitte etwas vorausschicken – ich kann dann freier sprechen. Die dem Sozialismus verpflichteten oder im Westen zuweilen auch mit dem Sozialismus kokettierenden Intellektuellen – ich nenne sie jetzt einmal unerlaubt abgekürzt die »deutschen« Intellektuellen, es gibt unter den deutschen selbstverständlich auch andere –, diese Intellektuellen haben viel dazu beigetragen, daß in der DDR der Geist hochgehalten wurde und die Maßstäbe nicht völlig verlorengingen. Ich verdanke einigen von ihnen Hilfe und Freundlichkeiten

– Stephan Hermlin, Christa und Gerhard Wolf, den Heyms, Heinz Knobloch und seiner Frau ... Vor allem aber sind es ihre literarischen Werke, die dazu beigetragen haben, daß die Maßstäbe nicht verlorengingen – trotz der Brüche und Inkonsequenzen in manchem dieser Bücher. Und so haben diese Schriftsteller selbstverständlich auch dazu beigetragen, daß es zu den gesellschaftlichen Veränderungen gekommen ist. – Und lassen Sie mich noch etwas vorausschicken: Die bedauerliche Rolle, die diese Kollegen im Augenblick spielen und auch in der Vergangenheit gespielt haben, will nichts für die Zukunft besagen. Spätestens seit Kleist wissen wir, daß sich in einem wirklich überragenden Autor letztlich der Dichter als stärker erweist als der Ideologe, und die Voraussetzungen dafür, daß sich in Deutschland der Dichter vom Ideologen befreit – zumindest insoweit, als er sich nicht mehr von diesem in den Schaffensprozeß hineinreden läßt –, waren seit 1933 nie so günstig wie heute ... Die Rolle, die diese Intellektuellen in der Vergangenheit gespielt haben, unterscheidet sich jedoch grundlegend von der Rolle jener Intellektuellen in den mittelost- und südosteuropäischen Ländern, die Demokraten waren, denen es um die Demokratie und nicht um die kommunistische Utopie ging. Für diese Intellektuellen waren die Kolleginnen und Kollegen aus der DDR, von denen ich spreche, unzuverlässige Verbündete. Ein Schriftsteller der DDR brachte die ungarischen Aufständischen von 1956 in Zusammenhang mit den Paladinen der Stephanskrone, der ehemaligen ungarischen SS und den Horden der Weißen, und er rief die Arbeiter von Miskolc auf, den Volksaufstand niederzuschlagen.

War das damals noch Ihr Freund?

Ich kann nicht sagen, daß er mein Freund war, aber ich habe ihn verehrt. Er war viel älter als ich.

Sie wollen den Namen nicht nennen?

Wir wollen über Haltungen sprechen, und die Wahrheit sollte, wenn möglich, nicht verletzen. – Derselbe Kollege zeigte sich 1968 solidarisch mit den Reformkommunisten in der Tschechoslowakei.

Wie ist das zu verstehen?

Da ging es um die Ehrenrettung für den Kommunismus. Andere wiederum zollten der Sowjetunion für den Einmarsch in die Tschechoslowakei Beifall ... Nach innen, also für Kollegen, die in der DDR ihre Schwierigkeiten hatten, waren sie ebenfalls keine verläßlichen Verbündeten. Da gibt es Beschämendes ... Das Schlimmste aber, was diese Intellektuellen haben tun können, war ihr Auftreten im Westen. Sie waren Adjutanten einer Diktatur. Sie haben von dieser Diktatur im Westen – und zwar weltweit – ein Zeugnis abgelegt, das besagte, dieses politische System habe seine Fehler, aber in ihm vollziehe sich der Fortschritt der Menschheit, und dieses Zeugnis entsprach der Heilserwartung der sozialistischen Intellektuellen in der ganzen Welt. Deshalb wurde dieses Zeugnis tradiert, und das Zeugnis derer, die versuchten, die Dinge beim Namen zu nennen, wurde entweder nicht gehört oder der Lüge geziehen.

Das erklärt die starke Resonanz dieser Position im Westen, zumindest im deutschsprachigen Westen.

Nicht nur. Wohin Sie auch immer kamen – sei es nach Frankreich, in die USA, nach Südamerika oder nach Japan –, dieses Zeugnis war immer vor Ihnen da.

Aber was geschah mit den Emigranten? Ich glaube, der Unterschied zwischen den deutschsprachigen und nichtdeutschsprachigen liegt ja auch darin, daß die deutschsprachigen sich relativ leichter taten mit dem Entschluß, nach dem Westen zu gehen, weil sie in der eigenen Sprache bleiben konnten.

Warum sollte ich mich als deutscher Schriftsteller in Bayern im Ausland fühlen, wenn ich aus Thüringen komme?

Natürlich. Das war für einen ungarischen Schriftsteller viel schwerer. Oder für einen tschechischen – wenn der sich entschloß, ins Ausland zu gehen, dann schrieb er in einer isolierten Sprache.

So ist es. – Aber Sie haben noch gefragt, warum es die Deutschen sind, denen es so schwerfällt, von der Utopie zu lassen. Die einen haben das Hitler-Bild abgenommen und das Stalin-Bild hingehängt. Das heißt: Seit 1933 sind sie von totalitären Ideologien und Regimen geprägt worden. Und die anderen haben – die Minderheit – im Geiste Stalins Hitler bekämpft. Das heißt, sie haben unter dem Einfluß der einen totalitären Ideologie die andere bekämpft, und wer von einer totalitären Ideologie indoktriniert ist, dem verplombt sich nicht nur der Verstand, sondern dem verplomben sich auch die Augen.

Das ist eine sehr harte Diagnose, weil sie es ja fast unmöglich erscheinen läßt, daß sich die Menschen im Innersten wandeln, sich von einer Diktatur lösen und wieder zu einer Demokratie finden können.

Das weiß ich nicht. Ich glaube, als Intellektueller müßte man über so viel Reflexionsfähigkeit verfügen. Unvoreingenommenem Denken stand allerdings entgegen, daß bei den einen ständig der Schuldkomplex aktiviert wurde und daß die anderen, die nach ihrem Selbstverständnis immer auf der richtigen Seite standen, eine Überheblichkeit, ein Selbstbewußtsein entwickelten, das zum Teil sogar chauvinistisch war. Ein Kollege, befragt, warum man in der DDR mit Reformen, wie Gorbatschow sie eingeleitet hatte, so zögerlich sei, antwortete, man müsse bedenken, daß man sich hier im Vater- oder Mutterland der marxistischen Philosophie befinde, und daß in Deutschland wesentliche philosophische Fragen zuerst vorgedacht und gelöst worden seien. – Und noch etwas: Karl-Heinz Bohrer hat einmal von der Tradition des deutschen kleinstaatlichen Polizeistaates gesprochen, der den autoritären Charakter hervorgebracht habe. Ich möchte eine andere deutsche Tradition hinzufügen – den Hang zu abstraktem Denken. Wo diese beiden Traditionen, die Tradition des autoritären Charakters und die Tradition des abstrakten Denkens, zusammenkommen, entsteht so etwas wie ein Überzinnsoldat, den keine Wirklichkeit zum Schmelzen bringt. Und vielleicht sind das Gründe für jenes Beharren auf einer Ideologie und für das unbedingte Weitermachenwollen ...

Welche Erlebnisse haben Sie denn dann im Westen gehabt? Sie kamen aus der DDR und sahen sich im Westen wiederum Intellektuellen gegenüber, die von dieser Ideologie geprägt waren. Das muß für Sie doch unglaublich schwer gewesen sein. Andererseits haben Sie einen gigantischen Erfolg mit Ihren Büchern gehabt und haben ihn bis heute. Was haben Sie da erlebt? Wie haben Sie sich gefühlt?

Müssen wir darüber sprechen?

Ich weiß, Sie sind ein Einzelkämpfer. Aber es zählt natürlich auch zu Ihrer Biographie, zum Überleben.

Das ging und geht bis zur Morddrohung, bis zur erst unlängst wieder erfolgten Morddrohung.

Jetzt noch?

Ja. Aber ich denke, dies sollte kein Gesprächsthema sein.

Es sollte schon sein. Aber wir müssen nicht darüber sprechen, Sie haben genug gesagt ... Es ist eigentlich erschreckend, denn, Herr Kunze, wir wissen das nicht. Wir wissen nicht, daß das so weit geht. Wenn die Betroffenen es nicht sagen, entsteht ein geschöntes Bild der Situation. Für die Deutschen ist sie offenbar besonders paradox. Glauben Sie, daß es für die Menschen in den anderen Ländern leichter sein wird?

Vielleicht gehen meine slawischen Kolleginnen und Kollegen etwas schneller zur Tagesordnung über. Sie waren dem Leben immer etwas näher. Sie galten als Verräter an der Utopie, aber sie wollten nur das Leben nicht verraten. Und sie wollten die machbare Demokratie, die ganz alte, verstaubte machbare Demokratie, die für den einzelnen Menschen tatsächlich etwas bringt.

Ich erschrecke auch über Österreich, denn Sie haben mit einem österreichischen Beispiel begonnen. Und ich erinnere mich sehr wohl an die Rolle, die wir in der Zeit Hitlers gespielt haben, der ja auch ein Österreicher war. Das zeigt uns, daß wir keineswegs ausgenommen sind von dieser Entwicklung. Wenn man diese Ungeheuerlichkeit sagen kann – und hier kam sie aus dem Mund einer maßgeblichen Politikerin –, dann zeigt das, daß wir tief impliziert sind. Das ist die gleiche Situation, die Sie bedrückt und die uns noch große Probleme aufgeben wird. Haben Sie den Eindruck, daß die Menschen im Osten Deutschlands von der Freiheit, die jetzt gekommen ist, enttäuscht sind? Von der Freiheit, die sie so stürmisch wollten und nach der sie aus einer so tiefen Überzeugung heraus verlangten?

Diejenigen, die in diesem politischen System nahezu erstickt sind, werden die Freiheit stets als *den* Wert empfinden. Aber hat denn die Mehrheit der Menschen tatsächlich die Freiheit gewollt? Die Menschen in der DDR haben nicht wissen können, was das ist, die Freiheit zu wollen. Sie haben geglaubt – nicht alle, ich weiß –, Freiheit sei etwas, das man ohne Gegenleistung erhalten kann. Sie haben eine Freiheit ohne Risiko erwartet. Eine Freiheit, die man, wie soll ich sagen, abheben kann bei Bedarf. Eine verwaltete Freiheit. Eine bequeme Freiheit. Da kann ich nur sagen: Nichts ist unbequemer als die Freiheit. Aber auch nichts ist begehrenswerter. Es gibt einiges, das ähnlich oder genauso begehrenswert ist: Gesundheit (was genügend Nahrung, genügend Schutz vor Kälte, genügend

Wasser für die Hygiene einschließt). Und Liebe. Aber frei sein heißt, sich entscheiden müssen, und das hat man nicht gesehen, und deshalb kann ich niemandem einen Vorwurf machen. Und wenn man nicht primär die Freiheit, sondern den hohen westlichen Lebensstandard gewollt hat, dann hat man zur Freiheit ein anderes Verhältnis. Ich gehöre nicht zu denen, die Menschen verurteilen, weil sie einen hohen Lebensstandard, weil sie materiellen Wohlstand wünschen. Jeder soll nach seinen geistigen und seelischen Möglichkeiten intensiv leben können, soll gern leben, soll am Leben Freude haben. Ich wünschte nur, daß der Wohlstand und die schönen Dinge, die vielen Kleinigkeiten, die das Leben farbig, bunt, freudig machen, nicht dazu führen, daß man habgierig wird und menschlich erkaltet. Ich vermute nur, wenn dieser Lebensstandard von einem Regime geboten worden wäre, das die geistigen Freiheiten unterdrückt hätte, hätte das die meisten nicht gekümmert. Hauptsache, sie wären im Konsumieren nicht gestört worden – Reisefreiheit eingeschlossen. Ich kenne Menschen, die so ein Regime sogar bevorzugen würden – ein Regime, das materiellen Wohlstand bietet bei, ich will es zurückhaltend formulieren, Verschonung mit geistig-moralischem Anspruch.

Aber das gibt es ja nicht!
Das funktioniert Gott sei Dank nicht.

Das ist ja der Bankrott des Systems gewesen. Das wollte man ja. Wohlstand, das Paradies für alle auf Erden. Aber wie kann man Millionen Menschen zu dieser Freiheit – na, ich möchte jetzt nicht das herablassende Wort gebrauchen: erziehen?
Um Himmels willen, nicht schon wieder erziehen!

Aber auch der Westen muß sich erziehen, denn auch ihm mangelt es an Wissen, an einer aufgeklärten Haltung.

Nach dem Fall der Mauer haben sich der Westen und der Osten in Deutschland erst einmal gründlich abgestoßen, und zwar beide durch Maßlosigkeit. Der Westen den Osten durch partielle ruchlose Profitgier ...

Der Westen hat sich im Osten von der schlechtesten kapitalistischen Seite gezeigt.

... Und der Osten hat den Westen abgestoßen durch sofortige Einforderung aller Vorzüge der Marktwirtschaft und des Sozialstaates bei Beibehaltung der alten Denk- und Lebensgewohnheiten. Wir haben einander gegenseitig überfordert. Man kann weder einen Sozialstaat und eine Marktwirtschaft im Container auf ein Staatsgebiet transportieren, auf dem dafür die Grundvoraussetzungen vierzig Jahre lang zerstört worden sind, noch können wir im Westen von den Menschen im Osten verlangen, daß sie über Nacht eine vierzigjährige Prägung ablegen und möglichst schon durch eine Gegenprägung ersetzt haben. Und all das macht es noch schwieriger, die gewonnene Freiheit zu begreifen und die Vergangenheit nicht schon wieder zu verklären.

Es gibt eine erschreckende Anzahl sogenannter Inoffizieller Mitarbeiter des Staatssicherheitsdienstes der DDR – was geschieht mit diesen Menschen? Wie sieht es in diesen Menschen aus? Wie verhält sich der Staatsbürger im Osten und im Westen zu diesen Menschen?

Man muß sehen, aus welchen Gründen ein Mensch Inoffizieller Mitarbeiter der Staatssicherheit geworden ist.

Dieses Buch Deckname »Lyrik« *ist geradezu eine Übertreffung dessen in der Realität, was Orwell an Überwachung, an Lenkung, an geheimdienstlicher Kontrolle von Menschen beschrieben hat.*

Man darf dennoch nicht verallgemeinern. Sie können für den Staatssicherheitsdienst gearbeitet haben, weil Sie indoktriniert waren – also aus Überzeugung. Ich weiß, wie man indoktriniert werden kann – als ganz junger Mensch habe ich viele Jahre in Internaten zugebracht –, und ich weiß, wie das ist, welches Entsetzen es bedeutet, wenn man zu begreifen beginnt ...

Es gibt nichts anderes, man lernt nichts anderes kennen.
Man kann aus berechtigter und unberechtigter Existenzangst mitgearbeitet haben. Es muß nicht einmal eine Schwäche sein, die uns erpreßbar werden läßt – und Schwächen haben wir alle. Ich kenne ein Dokument des Amtes für Nationale Sicherheit vom 28. November 1989, in dem befohlen wird, bestimmte Akten sofort zu vernichten. Darunter befinden sich Informationen zu dreißig Themen, die über Personen gesammelt worden sind, die sich keinerlei »feindlicher Aktivitäten« verdächtig gemacht hatten. Eines der Themen lautet »Liebesverbindungen in das nichtsozialistische Ausland« ... Aber aus welchem Grund auch immer jemand für den Staatssicherheitsdienst gearbeitet hat – wenn er heute käme und glaubwürdig versicherte, ihm sei elend (er brauchte nicht einmal zu sagen: Verzeih mir!), könnte ich mit diesem Mann oder mit dieser Frau nachbarlich zusammenleben. Nur es kommt kaum einer ...

... Das bestärkt mich in meiner Annahme, daß es sich fast um ein psychiatrisches Problem handelt, und da fehlt natürlich die Einsicht.
Das reicht bis zu faschistoider Verstocktheit. In den Akten heißt es an einer Stelle: »Frau J., die mit *Kunze* im Haus wohnt, äußerte, daß es der *Kunze* gar nicht wert ist, bei uns so human behandelt zu werden, denn der *Kunze* ist für sie ein Spitzel der BRD und gehört hinter Schloß und Riegel. Sie als Genossin hat nichts, absolut nichts gemein mit dem Herrn da unten (gemeint ist *Kunze*). Das ist auch die Meinung ihres Mannes und vieler anderer im Haus und in der Straße.« Nach Erscheinen des Buches *Deckname »Lyrik«* besuchte ein Re-

porter der *Frankenpost* dieses Haus. Er findet verschlossene Türen vor, aber nach einiger Zeit schaut eine ältere Frau aus dem Fenster heraus. Als er sich nach den Vorgängen von damals erkundigt, sagt sie: »Wir haben unter Hitler nichts gewußt, wir wußten auch davon nichts.« Aber die Nachbarn Kunzes, die bereit waren, ein Loch in die Wand zu bohren, damit der Staatssicherheitsdienst die Abhöranlage anbringen konnte, die müßten doch etwas gewußt haben, entgegnete der Journalist. Daraufhin die Frau: »Wenn er bespitzelt worden ist, wird das schon seinen Grund gehabt haben.« Das nenne ich faschistoide Verstocktheit. Mit diesen Leuten können Sie über Nacht wieder den alten Faschismus oder den alten realen Sozialismus errichten. – Im Westen darf man aber nicht so tun, als hätte das hier niemandem passieren können. Wäre Stalin 1945 bis an den Rhein marschiert, hätten wir im Westen die gleichen Verhältnisse wie in Thüringen und Sachsen, und die aufzuarbeitende Schuld wäre hier nicht geringer als dort.

Das ähnelt der Situation unmittelbar nach dem Krieg 1945.

Da war auch Schuld aufzuarbeiten, aber sie hatte andere Dimensionen. Wir haben kein Auschwitz (womit ich den Archipel Gulag nicht im geringsten verharmlosen will), wir haben keinen Zweiten Weltkrieg aufzuarbeiten. Und es gibt andere Unterschiede: eine der Siegermächte von damals ist eine der Hauptschuldigen von heute. – Aber auch im Westen ist aus ideologischem Vorurteil denunziert und ausgegrenzt worden.

Und es geht weiter, es ist noch längst nicht zu Ende – Sie haben es ja am Anfang des Gesprächs gesagt. Das heißt, die Utopie ist nicht gestorben.

Die marxistisch-leninistische Weltanschauung hat sich, was den Menschen betrifft, als unmenschlich erwiesen – wie alle totalitären Entwürfe unmenschlich sind. Sie hat sich, was die

Wirtschaft betrifft, als ruinös, was die Ökologie betrifft, als verheerend, und was die Politik betrifft, als verbrecherisch erwiesen. Aber sie ist nicht erledigt. Und wäre sie gestorben, wüßte ich einen Gott, der sie auferstehen ließe, und dieser Gott heißt: das Elend. Das läßt zynischerweise manche hoffen, deren Weltbild jetzt ins Wanken geraten ist.

Das heißt, es gibt eine riesige Sabotage der demokratischen Entwicklung, der Marktwirtschaft und all der Vorzüge, die der Westen für sich in Anspruch nimmt und auch vorweisen kann?

Das heißt es auch.

Aber was können die Schriftsteller, die Intellektuellen in dieser Situation tun?

Daß wir es heute so schwer haben, die innere Mauer abzubauen, ist Mitschuld jener Intellektuellen, die sich nicht vor allem der Wahrheit, sondern ihrer Ideologie verpflichtet sahen. Nun wissen wir zu wenig voneinander. Wir haben viel zu lernen – vor allem müssen wir lernen, der Wahrheit ins Gesicht zu blicken.

Es werden im Westen schon wieder Klischees aufgebaut von eben diesen Leuten, die an Klischees interessiert sind. Sind Sie da optimistisch?

Auf die Dauer schon. Aber es wird längere Zeit dauern, zumindest, bis sich die Wirtschaft einigermaßen gefangen hat. Der Finanzminister der Tschechoslowakei hat seinen Landsleuten gesagt, was in den nächsten zwei, drei Jahren auf sie zukommt, und daß es hart sein wird. Wir haben zum Teil Illusionen geweckt und nicht gesagt, es werde vorübergehend hart werden. In dieser Zeit werden aber Millionen mit dem Geld auskommen müssen, das sie als Arbeitslose erhalten.

Reiner Kunze, ich möchte beleuchten, daß Sie am Schluß einen vorsichtigen Optimismus geäußert haben. Wir sehen, wieviel Denkarbeit uns noch bevorsteht.

12. Februar 1992

»Passauer Neue Presse«, Passau

Fragen:
Angelika Diekmann

Die Akademie wird nie mehr sein,
was sie vielleicht einmal war.
Georg Baselitz

Wir sind am Ziel.
Walter Jens

Warum sind Sie gegen eine gesamtdeutsche Akademie der Künste in Berlin?

Ich bin nicht gegen eine gesamtdeutsche Akademie der Künste in Berlin. Ich bin dagegen, daß die Mitglieder der Ost-Berliner Akademie en bloc in die West-Berliner Akademie übernommen werden. Und was heißt »gesamtdeutsche Akademie«? Die Akademien der Bundesrepublik waren seit jeher »gesamtdeutsch«, denn ihnen gehörten auch Schriftsteller und Künstler an, die in der DDR lebten.

Was stört Sie an dem En-bloc-Modell?

Wenn man einen Autor wie Sascha Anderson, für dessen Verlogenheit ich nichts Entschuldigendes vorzubringen habe, zur Rechenschaft zieht, weil er Stasi-Täter war, dann darf man nicht jene en bloc, also unbesehen, in eine freie Akademie aufnehmen, die ihr Leben lang privilegiert den Staat international aufgewertet haben, zu dessen Wesen es gehörte, Wesen wie Sascha Anderson hervorzubringen. Das ist nicht gerecht. Zu den zu übernehmenden Mitgliedern der Ost-Akademie gehört ihr ehemaliger Präsident, der Regisseur Manfred Wekwerth, Mitglied des Zentralkomitees der SED. Noch 1986 hielt er eine Lobrede auf das Gesellschaftskonzept der SED. Der Präsident der Akademie in West-Berlin, Walter Jens, empfahl Günter Kunert, der mit Leuten wie Herrn Wekwerth nicht in ein und derselben Akademie sein möchte, über den eigenen Schatten zu springen. Kunert antwortete, Jens verlange von ihm einen Salto mortale, bei dem einem der Charakter aus der Tasche fallen könnte. Das ist nicht zumutbar ...

Kurz vor der Fusion der beiden Akademien wurden 51 »untragbare Personen« aus der 120 Mitglieder zählenden Ost-Akademie hinausgewählt. War Ihnen diese Art von »Bereinigung« zu wenig?

Diejenigen, die diese 51 Personen hinauswählten, wählten einen Hermann Kant hinein. Kant schrieb 1962 im *Neuen*

Deutschland über Uwe Johnson: »Johnsons Bücher sind gegen die DDR gerichtet. Sie sind Produkte aus Unverstand und schlechtem Gewissen. Ihre Aussage ist falsch und böse ...« Das ist keine literarkritische Meinungsäußerung, sondern eine Denunziation. Ich hätte ähnliche Beispiele bis in das Jahr 1991.

> *Wogegen wollen Sie mit Ihrem Austritt also vor allem protestieren?*

Ich bin nicht ausgetreten, um zu protestieren, sondern weil ich unter den angedeuteten Bedingungen nicht mehr Mitglied dieser Akademie sein möchte. Aber wenn Sie es so wollen, können Sie in diesem Austritt einen Protest gegen die bisherige und künftig verstärkt zu erwartende Ideologisierung sehen, die bereits in der Vergangenheit zu Ausgrenzungen und subtiler Verachtung führte.

> *Welche Konsequenzen hat Ihr Austritt für Sie selbst und für die Akademie?*

Für die Akademie keine. Für mich bedeutet er den Verlust an Begegnungen mit Menschen, die ich bewundere, an Möglichkeiten, in die Gespräche hineinzuhören, die bedeutende Geister unserer Zeit miteinander führen ...

> *Möchten Sie mit Ihren früheren Kollegen, den West-Akademikern, auch außerhalb der Akademie nichts mehr zu tun haben?*

Mit den Kolleginnen und Kollegen, mit denen ich mich in der Akademie zusammenhocken würde, werde ich mich selbstverständlich auch außerhalb der Akademie gut verstehen. Nur – die Akademie war das Netz, das uns regelmäßig zusammenfischte.

2. Dezember 1992

»Passauer Neue Presse«, Passau

Fragen:
Torsten Büker

Wie weit auch immer der moderne Mensch im Prinzip das Ideal akzeptiert, daß dieselben Regeln für alle Menschen gelten sollten, billigt er es tatsächlich nur denen zu, die er als ihm ähnlich ansieht, und er lernt nur langsam, den Bereich derer, die er als seinesgleichen ansieht, auszudehnen.

Friedrich August von Hayek

*Der Rechtsruck in der Bundesrepublik ist alarmierend:
sind die Deutschen insgesamt ein ausländerfeindliches
Volk?*

Ich werde niemals von *den* Deutschen sprechen, wie ich nie
von *den* Serben sprechen werde. Die letzten vierzig Jahre hier
in der Bundesrepublik haben doch gezeigt, daß die Menschen
in der Mehrheit nicht ausländerfeindlich sind ...

*Sie kennen sicherlich das Telegramm des Schriftstellers
Ralph Giordano an Bundeskanzler Kohl. Die Juden in
Deutschland würden selbst für ihre Verteidigung sorgen, da kein wirksamer Schutz gewährleistet werden
könne. Haben Sie dafür Verständnis?*

Der Vorsitzende des Zentralrates der Juden in Deutschland,
Ignatz Bubis, hat selbst gesagt, das sei kein Weg. Das Gewalt-
monopol muß beim Staat bleiben, und dieser muß es so einsetzen, daß er seinen Bürgern höchstmöglichen Schutz bietet.

*... Wurde die Sache allzu sehr verharmlost, und war die
deutsche Gesellschaft zu lange auf dem rechten Auge
blind?*

... Ich möchte es nicht auf dieses Auge beschränken. Unser
Rechtsstaat neigt dazu, so sehr Rechtsstaat zu sein, daß er an
sich selbst zugrunde gehen könnte.

*Mölln, Sachsenhausen, Lichtenhagen, Hünxe, Hoy-
erswerda – kann man noch von » Wehret den Anfängen«
sprechen?*

Ob es die Anfänge sind oder nicht – es ist allerhöchste Zeit,
sich zu wehren. Es ist allerhöchste Zeit, daß der Staat sein Ge-
waltmonopol gebraucht ...

*Sie haben zusammen mit anderen Schriftstellern Lesun-
gen in Asylbewerberheimen durchgeführt. Sie selbst haben in Mengelrode in Nordthüringen gelesen. Wie war
der Verlauf?*

Die Idee war, ein Zeichen zu setzen. Selbstverständlich geht man nicht in ein Asylbewerberheim, um dort den Bewohnern etwas vorzulesen, die nicht Deutsch können. Wir wollten dort hingehen, um vor deutschen Zuhörern zu lesen. Um Menschen, die in der Umgebung wohnen, in das Heim zu bringen und auch ihnen eine Möglichkeit zu geben, ein Zeichen zu setzen. Ich war überrascht. Es drängten sich so viele Menschen in den Raum, daß sie auf dem Fußboden und im Gang saßen. Es waren auch einige wenige Asylbewerber unter ihnen. Hinterher beschlossen einige von den deutschen Zuhörern, einen Freundeskreis zu gründen, der sich um die Asylbewerber kümmert ...

Was können aber Worte gegen einen wortlosen Mob bewirken, dessen einzige Sprache die Sprache der Gewalt ist?

Fast nichts.

Ernüchtert Sie das?

Ich brauche nicht ernüchtert zu werden, ich bin es, was die Macht des Wortes betrifft, seit dreißig Jahren. Dort, wo das Wort auf Fanatismus trifft oder auf direkte Gewalt, ist es machtlos. Es kann nur in einzelnen Menschen vielleicht eine winzige Änderung bewirken. In Menschen, die sich dann der Gewalt und den Tätern gegenüber anders verhalten. Ich gebe mich aber keinen Illusionen hin.

Heinrich Böll wurde seit Mitte der siebziger Jahre kaum noch in seinen Leistungen als deutscher Schriftsteller wahrgenommen. Er blieb jedoch außerordentlich wichtig als moralisches Gewissen der Nation. Ist das eine Rolle, die Intellektuelle spielen sollen, spielen müssen?

Ich möchte erst einmal etwas relativieren: Böll war auch zu dieser Zeit als Schriftsteller gefragt, denken Sie an den Nobelpreis. Sicher, ebenso als Instanz. Eine Instanz kann man jedoch nicht sein wollen, sie kann man nur werden. Deshalb ist es müßig zu fragen, ob ein Intellektueller diese Instanz sein soll. Wenn er sie geworden ist, dann muß er sich fragen lassen, ob er gewillt ist, sie zu sein.

7. Februar 1993

»Kärntner Kirchenzeitung«, Klagenfurt

Das Gespräch führte
Michael Maier

Wer aus dem Kommunismus heraustritt,
der kehrt in die Geschichte zurück.
André Glucksmann

Beim Anblick der Bilder von Erich Honeckers Ausreise
aus Deutschland habe ich mich an absolut gegensätz-
liche »Ausreise«-Bilder erinnert: die Kunzes 1977 bei ih-
rer »Übersiedlung«, fotografiert von der Staatssicher-
heit. Was haben Sie bei Honeckers Ausreise empfunden?

Wir waren Gott sei Dank nicht krebskrank. Wenn jemand so
krank ist, daß ihm die Ärzte nur noch wenige Monate geben,
kann er sein, wer er will – dann würde auch ich ihn freilassen.

Kein Gefühl der Bitterkeit?

Nein.

Auch nicht im Hinblick auf den Verlauf des Prozesses?

Da sind wohl eine Reihe von Peinlichkeiten geschehen.

Theo Sommer hat in der Zeit *an die Periode der Dreißig*
Tyrannen in der griechischen Antike erinnert; Thrasybu-
los hatte nach deren Schreckensherrschaft auf jede Ver-
urteilung verzichtet, weil diese die Bevölkerung heillos
gespalten hätte. Kann dies für die DDR auch gelten?

Um zu verhindern, daß Personen wieder an die Macht kommen, die die Verbrechen des vergangenen Regimes mitzuver-
antworten haben, muß man bereit sein zu *urteilen.*

Glauben Sie, daß es im Moment die Richtigen trifft?
Herr Schalck narrt die Untersuchungsausschüsse, Herr
Krenz ist erfolgreicher Buchautor, Herr Modrow zu-
mindest Privatier. Man hat den Eindruck, daß das alles
nicht auf der richtigen Ebene abläuft ...

Es wird nie alle treffen, die es treffen müßte.

Bedrückt Sie das? Sie wurden weit über die Grenze des
Ertragbaren hinaus drangsaliert – kann man da nach
einigen Jahren schon Distanz dazu haben?

Wenn ich lese, daß damals die Freundin eines jungen Kollegen, obwohl sie schwanger war, verhaftet wurde, weil sie ein
Buch von mir weitergegeben hatte, dann packt mich schon
manchmal der Zorn.

213

Kann man der Täter habhaft werden? Es ist ja ein eigenartiges Phänomen, daß sich jeder Täter als Opfer bezeichnet, jeder fühlt sich als Opfer des Systems. Kann man diesen gordischen Knoten durchschlagen?

Dieser Knoten ist ein Knoten von Lügen, den der Rechtsstaat kaum zu öffnen vermag. Und moralisch kann man nur jemandem beikommen, der sich beikommen lassen will.

Und wenn dieser Knoten für die Demokratie zu einer Art Knebel wird?

Ich sage ja, es geht nicht ganz, ohne zu urteilen ...

Das Problem der Verurteilung von großen politischen Tätern liegt doch auch darin, daß gewissermaßen quer über die Rechtssysteme hinweg Recht gesprochen werden muß. Sollte es neben der jeweiligen Verfassung auch einen anderen Grundkonsens geben, etwa den der Menschlichkeit, auf den man dann rekurrieren könnte?

Unbedingt. Wie realistisch das ist, weiß ich aber nicht ...

Enzensberger geht in seinem neuesten Buch mit den Deutschen hart ins Gericht und wirft ihnen u. a. vor, sie könnten einander nicht leiden. Teilen Sie diese Einschätzung?

Nein. Ich würde auch nicht von *den* Deutschen sprechen ...

Gibt es nicht durch das Aufeinanderfolgen von Nationalsozialismus und DDR-Diktatur so viel biographische Verstrickungen, daß das Zusammenleben gestört ist?

Die Menschen, die im nationalsozialistischen Deutschland und dann in der DDR gelebt haben, müssen jetzt lernen, was Demokratie ist ... Aber auch manche, die im Westen aufgewachsen sind, müssen einiges lernen, zum Beispiel jene, die die achtundsechziger Ideologie verinnerlicht haben.

Und die Parteien?

Sie bestehen ja aus Menschen.

Sehen Sie ein Defizit an menschlicher Integrität?
Ich kenne integre Politiker, Politiker, die ich hochschätze, und
Heuchler, deren Argumentation mir Übelkeit verursacht.

Jede Gesellschaft hat die Politiker, die sie verdient ...
Sie wissen aber auch, manchmal ist eine einzige Stimme aus-
schlaggebend, daß der fähigere Politiker nicht gewählt wird.
Das ist in der Demokratie so, es geht nicht anders.

Ein guter Teil der Bevölkerung ist inzwischen ordentlich
politikverdrossen ...
Wofür ich Verständnis habe. Es ist beklemmend zu sehen, wie
sich Politiker, statt zu handeln, gegenseitig paralysieren, weil
die Ideologie durchschlägt oder weil sie nur die nächste Wahl
im Blick haben.

Ihr Freund, der sächsische Minister Arnold Vaatz, hat
die Honecker-Ausreise heftig kritisiert; nicht nur des-
halb hat er Schwierigkeiten mit seiner Partei. Weshalb
fällt es eigentlich so schwer, die ehemaligen Widerständ-
ler in ein dem Kompromiß fast dogmatisch verschriebe-
nes System zu integrieren?
Weil sie sich dem Kompromiß eben nicht dogmatisch ver-
schrieben sehen möchten.

Woher kommt die jugendliche Gewalt auf Deutsch-
lands Straßen?
Sie hat viele Ursachen und im Osten zum Teil andere als im
Westen. Hier ist es u. a. die Tendenz, alle tradierten Werte und
jede gewachsene Bindung in Frage zu stellen, was zu innerer
Haltlosigkeit führt. Im Osten haben sich die Gruppen, in denen man eingebunden war, aufgelöst. Das »Gegen«, das viele
vereint hatte, ist gegenstandslos geworden. Die große orien-
tierungslose Freiheit ist ausgebrochen. Hinzu kommen Ar-
beitslosigkeit, soziale Ängste usw. Die wenigsten sind Rechts-
radikale, aber der Rechtsradikalismus nutzt natürlich die
Stunde.

Was kann man tun?
Versuchen, Halt zu geben und Gewalt mit rechtsstaatlicher Gewalt zu brechen.

Spielt nicht auch eine sehr stark ökonomisch orientierte Sicht der Situation eine Rolle? Beim Solidarpakt geht es doch eigentlich um ein Rechenexempel, wer jetzt mehr oder weniger zahlen muß. Behindert die Dominanz der Ökonomie nicht das Nachdenken über andere gesellschaftliche Zusammenhänge?

Die Dominanz des Ökonomischen ist im Augenblick wahrscheinlich unumgänglich. Ich habe mich mit dem Bürgermeister meines Geburtsortes, Oelsnitz im Erzgebirge, unterhalten. Oelsnitz ist eine sterbende Steinkohlenbergbaustadt, Senkungsgebiet, das Rathaus ist um neun Meter in der Erde verschwunden, die unterirdische Infrastruktur ist weitgehend zerstört, vom Straßenbelag ganz zu schweigen ... In den vergangenen vierzig Jahren ist im Hinblick auf diese Schäden fast nichts getan worden, so daß 30 Prozent aller Häuser abgebrochen werden müssen und 60 Prozent nur unter erheblichem finanziellen Einsatz restauriert werden können. Der Freistaat Sachsen stellt dafür jährlich – wenn ich mich recht erinnere – 27 Millionen Mark zur Verfügung, aber der Bürgermeister sagt: Wir brauchen hundert Millionen. Alles, was unter der Erde geschieht, sehen die Leute jedoch nicht. Sie erleben, wie über der Erde der Wind durch die Hausmauern bläst, weil längst der Mörtel aus den Fugen gefallen ist, und daß sich auch im dritten Jahr der Einheit nichts tut. Erst wenn für sie die investierten Milliarden sichtbar werden, wird sich psychisch im Großen etwas ändern. Natürlich darf es bei der Dominanz des Ökonomischen nicht bleiben, es muß zugleich ein großes Gespräch einsetzen.

Es gibt in Deutschland nicht unerhebliche Kräfte, die an diesem Gespräch kein Interesse haben dürften ...

Bestimmt hat kein Interesse daran, wer folgendes sagt (ich zitiere den Dramatiker Peter Hacks, der im Dezember 1992 dem Magazin der Elisabethbühne in Salzburg ein Interview gab): »Der Staat (gemeint ist die DDR) ist nicht gescheitert. Durch eine Übereinkunft zwischen Moskau und Washington ist dieser Staat abgeschafft worden ... Es gab in der DDR keine einzige Klasse, die den Staat abschaffen wollte. Die Arbeiter wollten es nicht, die Bauern wollten es schon überhaupt nicht, und die technische Intelligenz dachte nicht daran. Sondern was auf den Straßen sich versammelte, war Lumpenkleinbürgertum. Von diesen Leuten gehörte mindestens jeder dritte zur Stasi, gehörte mindestens jeder zweite dritte einem westlichen Geheimdienst an, und der dritte dritte war möglicherweise parteilos, wahrscheinlicher ist, daß er Doppelagent war.«

Bei einem früheren Gespräch hielten Sie es für wenig wahrscheinlich, daß es in Europa zu großen nationalistischen Auseinandersetzungen kommen könnte ...

In Europa am Ende des zwanzigsten Jahrhunderts ethnische Säuberungen wie jetzt auf dem Balkan – das habe ich mir nicht vorstellen können.

Ist das ein Durchgangsprozeß?

Solange sich Nationalität ethnisch oder religiös definiert und nicht politisch, und zwar demokratisch-politisch, werden andere in dieser Nation lebenden ethnischen oder religiösen Gruppen nie die volle Gleichberechtigung erhalten können.

Ist das im Menschen verwurzelt, oder wird die ethnische oder religiöse Zugehörigkeit nur für handfeste Machtinteressen genutzt?

Beides ist wohl der Fall.

Kann Westeuropa etwas dagegen tun? Es gibt ernsthafte Theorien, die besagen, daß der Krieg am Balkan nur durch Ausbluten zu beenden sei.

Ich möchte, daß denen, die dort unschuldig leiden müssen, geholfen wird, und wenn ich Mittel wüßte, ihnen zu helfen, gäbe ich viel darum, daß man sie einsetzt. Wenn ich an die Lager denke, die Massenvergewaltigungen ...

Die Franzosen haben das überlegt ...

Und sie werden Leid gegen Leid abgewogen haben.

Können die nationalistischen Bestrebungen in den einzelnen Ländern die europäische Integration aufhalten?

Wir müssen mit diesen Bestrebungen fertig werden, wie wir auch mit den antisemitischen Bestrebungen fertig werden müssen.

Fühlen Sie sich als Schriftsteller da gehört?

Wenn ich gefragt werde, antworte ich, und was ich schreiben muß, schreibe ich. Mehr steht nicht in meiner Macht.

Stört es Sie, daß das literarische Leben zunehmend zur Unterhaltungsbranche verkommt, wenn man etwa an Marcel Reich-Ranicki denkt, der ja schon keine Fernseh-Talkshow mehr ausläßt?

Wenn mich das stören würde, käme ich nicht mehr zum Arbeiten. Außerdem: Wir haben kein Fernsehen.

20. Februar 1993

»NaGłos«, Krakau

Fragen:
Jan Jakub Ekier

Wenn die Deutschen ... nur einen Bruchteil von dem
Zeitaufwand, den sie dem Studium der exotischen Kul-
turen gewidmet haben, für das benachbarte Slawentum
übriggehabt hätten, würden sie mit Staunen erfahren,
wie eng im Grunde die deutsche und die polnische Kultur miteinander verknüpft sind.

Stanisław Przybyszewski

Was trennt Sie von den Polen?

Nichts Deutsches, nichts Polnisches. Mich trennt von manchen Polen, was mich von manchen Deutschen trennt – daß ich ihnen gleichgültig bin, wie sie mir gleichgültig sind, oder daß sie, würden wir einander kennen, auf meine Freundschaft keinen Wert legen würden, obwohl ich nicht ihr Feind bin.

Was verbindet Sie mit den Polen?

Meine polnischen Freunde. Und das, was mich mit unserem Hausnachbarn verbindet: die gemeinsame Grenze. Indem wir diese Grenze respektieren, respektieren wir des anderen Freiheit, und in diesem Respekt hebt sich das Trennende der Grenze auf.

Was verbindet für Sie Deutschland mit Polen?

Das, was Deutschland und Polen in der Vergangenheit trennte.

Erinnern Sie sich eines Erlebnisses, das für Ihr Verhältnis zu Polen kennzeichnend ist?

Im Spätsommer 1980 waren wir, meine Frau und ich, in Norwegen, und zwar in einer abgeschiedenen Gegend. Wir fuhren wiederholt auf den höchstgelegenen Punkt, der mit dem Wagen zu erreichen war, um mit dem Autoradio einen Sender empfangen zu können, dessen Sprache wir verstanden. Wir wollten wissen, was in Polen geschah. Wir bangten und hofften mit Ihnen.

13. August 1993

Westdeutscher Rundfunk, Köln
Am Abend vorgestellt

*Das Gespräch führte
Jürgen P. Wallmann*

Jeder sollte frei sein, sich ins Herz treffen zu lassen
oder keine Notiz ... zu nehmen.

Ludwig Marcuse

Herr Kunze, Ihr jüngstes Buch, das Tagebuch des Jahres
1992, heißt Am Sonnenhang. *Erklären Sie bitte den*
Buchtitel. Manche haben ihn schon mißverstanden als
einen Hinweis auf Idylle, Rückzug, »Elfenbeinturm«.

Es ist wohl eine Frage des Wohlwollens, ob ich, wenn ich den
Titel *Am Sonnenhang* höre, dem Autor sofort etwas Negatives
unterstelle, ja, ihn für so wenig intelligent halte, daß er dieses
Negative auch noch im Titel anzeigt. Meine Leser, also die Leser, die meine Bücher kennen, tun das nicht. Spätestens nach
dem Buch *Die wunderbaren Jahre* wissen sie, daß meine Titel
nicht einschichtig sind. Und die Schutzumschläge der Hard-
cover-Bücher geben überdies eine Lesehilfe für den Titel: Auf
dem Umschlag zu den *Wunderbaren Jahren* geht durch das
Wort »wunderbar« ein Riß, und über dem Titel *Am Sonnenhang* ist ein Foto abgebildet, das ein wolkenverhangenes Fluß-
tal zeigt, auf dem die Sonne bestenfalls zu ahnen ist. Die Erklä-
rung des Titels ist das Buch.

Ist solch ein Tagebuch ein Versuch, Ordnung zu schaffen
im Chaos der sich überstürzenden Ereignisse? Ist es eine
Art Zwischenbilanz?

Mit dem Zusammenbruch der europäischen kommunistischen Regime ist ein Abschnitt auch meines Lebens zu Ende
gegangen, und zwar der längste. Und bezogen auf diesen Abschnitt ist es in der Tat eine Art Bilanz.

Wer von diesem Tagebuch des Jahres 1992 eine nahezu
vollständige Chronik eben dieses Jahres erwartet, der
würde enttäuscht. Sie haben ausgewählt – nach welchen
Kriterien?

Das vom Tage aufzunehmen, was über den Tag hinaus-
reicht ...

Schreiben oder schrieben Sie eigentlich regelmäßig
Tagebuch? Wird es Fortsetzungen von Am Sonnenhang
geben?

Ich habe vorher nie Tagebuch geschrieben, und ich schreibe auch jetzt kein Tagebuch. Dieses Tagebuch hatte sich ergeben. Es ist einfach für mich notwendig gewesen, in mir diesen Abschluß zu finden. Ich weiß nicht, ob es in zehn Jahren, wenn ich noch so lange leben sollte, noch einmal notwendig werden wird, ein Tagebuch zu schreiben ...

Man hat öfter versucht, Sie politisch einzuordnen nach dem Rechts-Links-Schema – und dabei gab es dann ja hin und wieder Irritationen. Nun ist im Buch Am Sonnenhang *unter dem Datum des 5. August zu lesen: »In Václav Havels Sommermeditationen gelesen: ›Ich lehne es ab ..., mich selbst der Rechten oder Linken zuzuordnen: ich stehe außerhalb dieser politisch-ideologischen Fronten und bin von ihnen unabhängig: ich hüte meine Freiheit so sehr, damit ich ohne Schwierigkeiten über alles immer die Ansicht haben kann, die ich mir selbst erarbeite, und dabei nicht von meiner eigenen vorhergehenden Selbsteinordnung gebunden bin. Ich kann mir vorstellen, daß eine meiner Ansichten links, eine andere ... rechts erscheinen mag, ich kann mir sogar vorstellen, daß ein und dieselbe Ansicht dem einen links und dem anderen rechts erscheint – und es ist mir, um die Wahrheit zu sagen, völlig gleichgültig.‹« Ich nehme an, dies ist auch Ihre Position.*

Ja, das ist meine Position. Nur muß man manchmal etwas, das man selber sagen könnte, jemand anderen sagen lassen, damit es gehört wird und nicht so schnell in den Wind geschlagen werden kann.

Gegen einen damals hierzulande modischen Linksopportunismus hat sich 1975 Hilde Domin gewandt (damals gehörte in der Bundesrepublik etwas Zivilcourage dazu) und gesagt: »Auch die Ideologie kann ein Elfenbeinturm sein.« Stimmen Sie dem zu?

Voll und ganz. Und Hilde Domin war und ist eine mutige Frau.

Sie sind ja im Tagebuchjahr aus der Westberliner Akademie der Künste ausgetreten. Erklären Sie doch bitte denen, die das Ganze nicht immer und in allen Einzelheiten verfolgt haben, diesen Schritt und seine Gründe – auch die ja offensichtlich etwas dubiose Haltung des Akademiepräsidenten Walter Jens.

Diejenigen, die das wirklich interessiert, muß ich bitten, es in meinem Buch *Am Sonnenhang* nachzulesen. Aber da Sie dieses Thema anschneiden, möchte ich gern eine prinzipielle Frage aufwerfen. Der Bundeskanzler hat zu der geplanten En-bloc-Übernahme der Mitglieder der Ostberliner in die Westberliner Akademie eine Stellungnahme abgegeben. Ich kenne sie nicht, ich habe nur eine Meldung über diese Stellungnahme gelesen, und ich habe gelesen, was im *Tagesspiegel* zu dieser Stellungnahme gesagt wird. Im *Tagesspiegel* vom 19. Mai 1993 heißt es: *»Wer den Text der Intervention liest, darf mit gutem Grund vermuten, daß der sonst solchen kulturellen Ermahnungen abholde Kanzler für die Fighter-Interessen des Kanzler-Freundes Kunze oder von Günter Kunert fremdbeansprucht wurde.«* Das ist ... diabolisch. »Man darf vermuten« – damit ist von vornherein jede Möglichkeit genommen zu klagen. »Vermuten« kann jeder, so etwas ist nicht justitiabel. Dann heißt es: »Man darf mit gutem Grund vermuten.« Hier wird suggeriert, daß es sich um Tatsachen handelt. Dann wird behauptet, der Kanzler sei »fremdbeansprucht« worden, und dazwischen fallen zwei Namen: Kunze und Kunert. Und der Zeitungsleser wird behalten: Aha, der Kunze oder der Kunert haben den Kanzler ferngesteuert, haben ihn für ihre Zwecke benutzt. Das steht aber gar nicht geschrieben, geschrieben steht, daß der Kanzler »für die Interessen« des Kunze oder des Kunert fremdbeansprucht wurde – von wem, das bleibt offen. So werden Gerüchte gestreut, ohne daß derjenige, der sie streut, vor Gericht kommen könnte. So wird ein diskreditierendes Gerücht über drei Personen – den Bundeskanzler, Kunert und Kunze – in die Welt gesetzt. Kunert hat inzwischen Stellung genommen und gesagt: »Ich für meinen Teil muß gestehen und leider öffentlich machen, daß ich weder ein Fighter noch je im Leben Herrn Kohl begegnet bin und mit ihm kein einziges Wort, nicht einmal ein schriftliches, gewechselt habe.« Soweit Kunert. Und ich setze hinzu: Ich habe mit Helmut Kohl weder mündlich noch schriftlich ein Wort über den Akademie-Zusammenschluß gewechselt, und ich habe auch nicht versucht, über Dritte auf ihn Einfluß zu nehmen – er hätte es sich auch sicherlich verbeten. Zudem: »Interessen« habe ich in diesem Zusammenhang überhaupt nicht. Ich bin aus der Akademie ausgetreten, habe diesen Schritt öffentlich begründet, und damit hat sich für mich die Angelegenheit erledigt. Ich habe nirgendwo sonst wieder dazu Stellung genommen. Nicht ausschließen kann ich, daß Mitarbeiter des Bundeskanzlers nicht nur das lesen, was Herr Jens publiziert, sondern auch das, was Günter Kunert oder ich veröffentlichen, und daß davon möglicherweise ein Argument in die Stellungnahme des Kanzlers eingegangen ist.

Die prinzipielle Frage aber, die ich nun aufwerfen möchte, ist die: Wenn man mit Geld manipuliert, muß man in diesem Land ziemlich schnell die Konsequenzen ziehen. Nicht aber, wenn man mit dem Ruf eines Menschen manipuliert. Warum zählt der Ruf eines Menschen weniger als Geld?

Anderen Akademien gehören Sie ja noch an. Was bedeutet für Sie die Zugehörigkeit zu einer Akademie? Marcel Reich-Ranicki hat kürzlich in einem Interview gesagt: »Die Akademien sind Überbleibsel aus dem 19. Jahrhundert, sie haben heute keine Funktion mehr, es ist schade um das Geld ... Die Zukunft der Berliner Aka-

demie ist mir gleichgültig, ich beschäftige mich mit Literatur und nicht mit Vereinsmeierei.«

Für mich bedeutet die Mitgliedschaft in der Akademie Teilhabe an einem gelegentlich hochkarätigen intellektuellen Gespräch.

Unter dem Datum des 19. Februar schreiben Sie: »Indem die Mitmenschen ohne Unterlaß Zeitzeugenschaft vom einzelnen Künstler fordern, hindern sie ihn, hervorzubringen, was hervorzubringen vielleicht nur er imstande wäre, und tragen so zur irreversiblen Verarmung der Menschheit bei.«

Es ist zu verstehen, daß Sie sich gegen solche Belästigung, gegen eine Ablenkung vom Werk zur Wehr setzen. Aber sind solche Anforderungen nicht ein – vielleicht falsches – Anzeichen für den Glauben an die Kunst, an den Künstler in einer Zeit, in der Politikern, der Kirche usw. nicht mehr geglaubt wird? Sie haben ja früher in der DDR selbst erlebt, daß gerade auch junge Menschen vom Künstler Antworten erwarteten, Lebenshilfe geradezu.

Das hat nichts zu tun mit dem Glauben an die Kunst oder an die Künstler und auch nichts mit Aversionen gegen die Politik oder die Kirche, sondern einzig damit, daß allein die Existenz eines Kunstwerkes eine Veränderung der Welt bedeutet – ganz abgesehen davon, ob es zur Kenntnis genommen wird oder nicht.

Dylan Thomas hat das ähnlich ausgedrückt: »Ein gutes Gedicht ist ein Beitrag zur Wirklichkeit. Die Welt ist nicht mehr, was sie war, wenn man sie einmal um ein gutes Gedicht vermehrt hat.«

Ja, ein Kunstwerk ist bereits eine Veränderung der Welt, und das ist der Beitrag des Künstlers – nicht der Beitrag des austauschbaren Künstlers, sondern eines bestimmten. Keiner kann des anderen Kunstwerk schaffen. Es ist sein Beitrag zu einer menschenwürdigen Welt. Das schließt nicht aus, daß der Künstler als Künstler Zeitzeuge ist und die Folgen auf sich nimmt. Wenn das Kunstwerk ein Zeitzeugnis ist, muß er den Kopf dafür hinhalten, das ist ganz klar. Nur soll man ihn nicht ständig davon abhalten, das Werk zu schaffen, und ihn nicht ständig auffordern, außerhalb der Kunst Zeitzeuge zu sein. Man könnte hier wieder das alte Goethe-Wort zitieren: »Bilde, Künstler, rede nicht!«

Noch zum Thema Zeitzeugenschaft, Engagement: Sie haben, wie andere Autoren auch, reagiert auf die Attentate gegen Ausländer. Sie haben in Asylbewerberheimen gelesen, haben zudem aufgefordert, auf den Aufruf zu Terror und auf das Zeigen von Nazisymbolen deutlich zu reagieren. Aber das Morden geht weiter. Waren oder sind solche Aktionen von Künstlern wenn nicht sinnlos, so doch nutzlos? Ist das Wort ohnmächtig gegenüber der Gewalt?

Etwas Sinnvolles ist auch immer von Nutzen. Nur: Das Wort kann solche Taten nicht verhindern …

Mitglied jener Ostberliner Akademie war ja auch einmal Hermann Kant. Vielleicht können Sie noch etwas sagen zum leidigen Thema Kant. Er hatte ja gegen die Beschuldigung, er sei ein Stasi-Mitarbeiter gewesen, gegen Sie und Ihren Verlag auf Unterlassung dieser Behauptung geklagt, und vor Gericht hatte er auch recht bekommen. Aber nun hat sich doch wohl etwas geändert.

Hermann Kant hatte versucht, vor Gericht zu erwirken, daß dem Fischer Taschenbuch Verlag und mir verboten wird, in dem Buch *Deckname »Lyrik«*, das eine reine Dokumentation ist, eine Behauptung wiederzugeben, die in einem Protokoll des Ministeriums für Staatssicherheit der DDR gefunden wurde. Das ist ihm in der ersten Instanz gelungen. Aber die zweite und letzte Instanz hat dieses Urteil abgeändert: Die Behauptung darf weiterhin gedruckt werden, es ist aber eine Fußnote anzubringen, in der stehen muß, daß Hermann Kant behauptet, diese Behauptung nicht getan zu haben, und daß Herr Henninger, der als Generalsekretär des Schriftstellerverbandes der DDR, laut Protokoll des Offiziers im Ministerium, diese Behauptung überbrachte, vor Gericht ausgesagt hat, Kant habe ihm gegenüber diese Behauptung nicht getan. Sollte es zu einer weiteren Auflage dieses Buches kommen, wird diese Fußnote für sich selbst sprechen.

Neben renommierten Literaturpreisen wie dem Georg-Büchner-Preis haben Sie ja inzwischen auch einige staatliche Auszeichnungen erhalten, etwa den Bayerischen Verdienstorden oder kürzlich das Große Bundesverdienstkreuz. Von den Orden hat Bismarck einmal gesagt, es gebe erdiente, erdienerte und er-dinierte. Was bedeuten Ihnen solche Auszeichnungen?

In diesem Fall Anerkennung der Arbeit, und zwar gesellschaftliche Anerkennung der literarischen Arbeit von einem demokratischen Staat. Darüber freue ich mich. Zu dem, was Sie von Bismarck zitieren: Ich bin bestechlich, aber nicht durch Orden, und auch nicht durch Geld. Mein Verlag könnte mich bestechen, indem er in eines meiner Bücher ein Lesebändchen einarbeiten läßt. Aber zum Glück sind wir, mein Verlag und ich, auf Bestechung nicht angewiesen ...

Man weiß, wie wichtig die Dichtung der Tschechen und Slowaken für Sie war und ist. Sie haben etliches ins Deutsche übertragen. Sie sind ein Freund der Tschechen und der Slowaken. Nun ist Deutschland vereinigt, und die Tschechen und Slowaken haben sich getrennt. Bedauern Sie das, schmerzt Sie das?

Ja, das bedaure ich sehr. Aber es ist tröstlich, daß sie sich friedlich getrennt haben. Und man kann nur hoffen, daß das Europa der Zukunft diese Grenze wieder verwischt.

In Am Sonnenhang *schreiben Sie von dem deutsch schreibenden kroatischen Lyriker Marian Nakitsch, Sie weisen nachdrücklich hin auf Harald Grill, Sie haben sich für Johannes Kühn eingesetzt, also für wenig bekannte Dichter, die Sie fördern möchten. Sie notieren am 8. Juni, Sie wollten das Ihrige tun, »um Literatur, die mich überzeugt, aus dem Schatten zu holen«. Wie machen Sie das (außer durch die Erwähnung im Tagebuch)? Hatten Sie Erfolg?*

Es betrifft nicht nur die jungen Dichter, es betrifft auch große Dichter des Auslands, die bei uns unbekannt waren, zum Beispiel Jan Skácel. Bei ihm, so denke ich, hatte ich Erfolg, aber es hat dreißig Jahre gedauert. Und bei Nakitsch könnten wir auch Erfolg haben. Der S. Fischer Verlag bereitet jetzt einen Band seiner deutschen Gedichte vor, seinen ersten, der Anfang nächsten Jahres erscheinen soll. Als die ersten Gedichte von Nakitsch in der *Neuen Rundschau* erschienen, bekam er sofort von den Juroren Hans Bender und Walter Hinck einen Preis von zwanzigtausend Mark zuerkannt. Er wurde ins Polnische übersetzt, die Portugiesen meldeten sich, er bekommt Einladungen nach Österreich, aber dem gingen fünf Jahre Arbeit am Manuskript voraus. Marian Nakitsch hat ganz allein Deutsch gelernt. Er hat Rilke mit dem Wörterbuch übersetzt, und er schreibt jetzt Gedichte in Deutsch. Da gibt es natürlich manches zu bedenken und zu überprüfen, wenn man die Sprache nicht als Muttersprache spricht.

Zu den anderen Namen: Johannes Kühn hat inzwischen einen potenten Verlag (Hanser), ihm habe ich nur insoweit helfen können, als ich ab und zu Gedichte von ihm in meinen Lesungen vorgelesen habe, damit die Leute ihn kennenlernten. So war das übrigens auch bei Skácel: Über viele Jahre habe ich zwanzig Minuten meines Programms Übersetzungen von Gedichten Jan Skácels gelesen ...

In Ihrem jüngsten Buch findet sich auch eine kleine Auswahl von Werken moderner Literatur, die, so sagen Sie, »ich zu meinen Lieblingsbüchern zähle oder denen ich grundlegende Erkenntnisse verdanke«. Die Liste hat mich – jeder Leser vergleicht ja leicht auch mit eigenen Leseerlebnissen – ein bißchen verblüfft: Auf ihr findet sich kein Titel von Brecht, von Benn, von Mann (von keinem von allen), keiner von Musil, Loerke, Bobrowski, Kirsten – nicht einmal von García Lorca, auf den Sie ja früher öfters als für Sie bedeutsam hingewiesen haben.

Ich habe diese Liste nicht im geringsten unter dem Gesichtspunkt zusammengestellt: Wer hat dich beeinflußt?, sondern unter dem Gesichtspunkt: Welche Bücher möchtest du immer um dich haben? Diese Liste enthält ohnehin ja nur ein Minimum, und sie besagt nicht, ... daß nicht noch viele andere Bücher Lieblingsbücher von mir sind. In meinem »Musikschaufenster« ist mir etwas Untröstliches geschehen. Mir sind beim Abschreiben offensichtlich zwei Namen verlorengegangen, beide sind Tschechen, nämlich Smetana und Janáček. Nehmen Sie diese Liste also bitte als Augenblicks-Liste aus dem Jahr 1992.

Sie haben mit Ihren Büchern und mit Lesungen Erfahrungen im Westen wie im Osten Deutschlands gemacht, früher, zu DDR-Zeiten, und heute. Gibt es nach Ihrer Erfahrung zwei deutsche Literaturen oder doch zwei verschiedene deutsche Leserschaften? ... Erwin Strittmatter beispielsweise, ein im Westen wenig bekannter Erzähler und im Osten ein Bestseller-Autor, hat gesagt: »Ich bin in einige Dutzend Sprachen übersetzt worden, nur ins Westdeutsche nicht.«

… Die deutsche Sprache ist viel älter als alle Teilstaaten, und die christlich-abendländische Tradition, die uns geprägt hat, geht auf zwei Jahrtausende zurück. Wer deutsch und aus dieser Tradition heraus schreibt, wird keine unüberwindlichen Schwierigkeiten haben, in ganz Deutschland verstanden zu werden.

16. August 1993

»Dresdner Neueste Nachrichten«, Dresden

Fragen:
Steffen Grabisna

Die Öffentlichkeit besitzt ... bei demokratischen Völkern eine eigentümliche Macht ... Sie versucht nicht durch ihre Anschauung zu überzeugen, sie drängt sie auf und treibt sie – mit einem ungeheuren Druck der Massenseele auf den Einzelgeist – in die Gemüter ein.
Alexis de Tocqueville

Aber in der Welt des Geistes gibt es keine Majorität als Instanz.
Karl Jaspers

Für wen schreiben Sie?

Für meine potentiellen Leser, die ich nicht kenne.

Welche Frage der Enkel bereitet Ihnen noch immer Kopfzerbrechen?

Die Frage nach Gott.

Wie definieren Sie »dichterische Phantasie«?

Die Fähigkeit, mittels Sprache in unserer Vorstellung neue Wirklichkeit entstehen zu lassen, durch die bestehende Wirklichkeit erfahrbarer wird.

Stichwort Phantasie: An welchen Ort wünschen Sie sich und mit welchem Buch?

Immer dorthin, wo ich die größte Möglichkeit habe zu schreiben. Und wenn nur ein einziges Buch erlaubt ist, dann bitte mit dem Grimmschen Wörterbuch.

Ihr Lieblingsheld in der Dichtung?

Der kleine Prinz.

Was bewegt Sie, wenn Sie nun wieder in Ihre sächsische Heimat reisen dürfen?

Vorher war mir nie so deutlich gewesen, was vierzig oder gar sechzig Jahre Prägung durch totalitäre Ideologie ausmachen können.

Angenommen, Sie sollten jetzt ein Flugblatt verfassen. Was möchten Sie herausschreien?

Das Hinausschreien habe ich mir längst abgewöhnt.

Wann fühlten Sie sich zuletzt als Dichter »mächtig«, einflußreich?

Als ich noch nicht wußte, was es heißt, sein Leben auf Literatur zu bauen.

Wann die letzte Ohnmacht?

Sie ist ein Dauerzustand, der nur immer mehr Lebensbereiche betrifft. Proportional zum Verlust an menschlichen Werten und Hemmungen in der Gesellschaft. Auch zum überdimensionalen, aber weiterhin wachsenden Einfluß der Medien.

Ihre Lebensmaxime?
»Es herrscht das Absurde, und die Liebe errettet davor.«
Ihr persönlicher Wunsch zum 60. Geburtstag?
Daß ihn möglichst niemand bemerkt.

Die Texte wurden sprachlich überarbeitet und werden zum Teil gekürzt wiedergegeben, um thematische Wiederholungen auf das Unvermeidbare zu beschränken.

Die Lenin-Zitate im Interview vom 12. Januar 1987 wurden nachträglich eingefügt (Briefwechsel Lenin – Tschitscherin vom 15. und 16. Februar 1922, veröffentlicht in *Literaturnaja Gasjeta* vom 5. November 1972; der zweite Text wurde erstmals von Juri Annenkow in *Nowy Dschurnal* 1961 publiziert; beide Zitate nach Jean-François Revel, *So enden die Demokratien*, München/Zürich 1984, S. 170 u. 242). Ebenfalls nachträglich eingefügt wurde der in Parenthese stehende Passus »Übrigens: Was heißt hier ›rechts‹? ...« (Interview vom 6. Dezember 1987). In dem Interview vom 13. August 1993 wurde die Quelle des *Tagesspiegel*-Zitats richtiggestellt.

Diesem Buch liegen neben Einzelveröffentlichungen die Interviewsammlungen *In Deutschland zuhaus* (1984), *Zurückgeworfen auf sich selbst* (1989) und *Begehrte, unbequeme Freiheit* (1993) der Edition Toni Pongratz, Hauzenberg, zugrunde.